SEGUNDA ETAPA

CARABELA

41

MONOGRÁFICO

Las actividades lúdicas en las enseñanzas de E/LE

SOCIEDAD GENERAL ESPAÑOLA DE LIBRERÍA, S. A.

CONSEJO DE REDACCIÓN:

Jesús Sánchez Lobato
Aquilino Sánchez Pérez
Isabel Santos Gargallo
José María Antón

COORDINADORA:

Isabel Alonso Belmonte

ISBN: 84-7143-600-0
Depósito Legal: M. 8.216-1997
Printed in Spain - Impreso en España

Compone e imprime: NUEVA IMPRENTA, S. A.
Encuadernación: F. MÉNDEZ

CARABELA
SEGUNDA ETAPA

Amigos lectores,

Tenemos el gusto de presentarles la nueva etapa de la revista **Carabela.**

Hasta ahora, el principal objetivo de nuestra revista ha sido proporcionar, tanto a profesores como a alumnos, herramientas de trabajo útiles para un mejor aprendizaje del español como lengua extranjera. La revista se articulaba fundamentalmente en torno a la explotación de textos periodísticos auténticos que reflejaban la actualidad hispánica.

En esta segunda etapa que iniciamos con este número, **Carabela** seguirá siendo una revista hecha por y para profesores de español, pero se dará prioridad a la didáctica, que se constituirá en el núcleo de la revista. Cada número versará sobre un tema monográfico, en torno al cual se presentará una serie de artículos con propuestas didácticas ya experimentadas en el aula. Por lo tanto, no descuidaremos las actividades prácticas para la clase. **Carabela** constará de las siguientes secciones fijas:

> *Artículos de didáctica.*
> *Material de trabajo para el aula.*
> *El rincón de la cultura.*
> *¡A divertirse!*
> *Reseñas.*
> *Nuestro consultorio.*
> *El español es noticia.*

Como pueden ver, además de los materiales para trabajar los distintos aspectos de la enseñanza de E/LE, también incluiremos pasatiempos —crucigramas, chistes, adivinanzas, sopas de letras, etcétera—, reseñas de libros elaboradas por profesores especialistas en la enseñanza de español para extranjeros, e incluso las inquietudes y los problemas en la tarea docente de todos aquellos profesores de E/LE que deseen comunicárnoslas. Por otra parte, a partir de este número premiaremos la fidelidad de nuestros lectores a través de un concurso anual con estupendos regalos.

Nuestro sistema de difusión seguirá siendo el de la suscripción, pero también se podrá adquirir **Carabela** a través de venta por catálogo, número a número, incluso atrasados. Por ello, cada número tendrá su ISBN independiente y un lugar permanente en el catálogo de SGEL. De esta manera, se podrá adquirir **Carabela,** además de por suscripción, a través de la red de distribución de SGEL por todo el mundo.

Con el deseo de que nos sigan también en esta nueva etapa, les agradecemos de antemano su interés y esperamos contar con su colaboración.

CARABELA

SUMARIO

Artículos de didáctica

Reseñas

Rincón de la cultura

¡A divertirse!

Aprender como juego.
Juegos para aprender español

SONSOLES FERNÁNDEZ
E.O.I. Madrid

Adivina, adivinanza...

Si adivinas lo que tengo, te lo doy:

¿Una carta?, ¿un pastel?, ¿un avión?, ¿una flor?, ¿un poema?, ¿un juego?...

Busca en estas páginas, y ... al final, contéstame; si no, con ello me quedaré.

¿Y tú, a qué juegas?

¿A contar mentiras, a las cartas, al escondite, a las quinielas, a componer palabras, a inventar historias, a resolver crucigramas, a encontrar el tesoro, a adivinar por qué…, a aprender a pintar, a aprender a vivir?

Te invito a jugar a tu juego preferido y a que luego nos cuentes por qué te gusta jugar. A. Gala lo cuenta así:

> *Jugar es bueno, Tobías. Yo no conozco a nadie al que no le guste jugar. Y me alegro: si lo conociese, dejaría inmediatamente de tratarlo. Aunque no todos los modos de jugar coinciden: lo que para unos es una diversión, para otros es el más severo de los ministerios. Sin embargo, creo que puede afirmarse de todos los hombres lo que Nietzsche, un filósofo no optimista en exceso, afirmaba de uno: en él siempre hay un niño oculto que desea jugar. Quizá el*

7

ser humano no esté en el mundo para ninguna otra cosa, y lo que nos parece principal —la creación, el amor, las respuestas a grandes preguntas, esas preguntas mismas— quizá no sea más que una forma de jugar al escondite. Incluso es probable que lo que no se haga jugando no salga nunca bien. (...). «El País», 2/8/87.

1. Aprender como juego

Jugar es adivinar, descubrir, entrenarse, conseguir, recomponer, construir, encontrar el camino para el gol, inventar, superar obstáculos, juntar los ases o los corazones, llegar al final, espabilarse para ganar... y todo por puro placer, porque queremos y para pasarlo bien.

Aprender es adivinar, descubrir, entrenarse, conseguir, recomponer, construir, encontrar el camino, inventar, superar obstáculos, juntar, separar, espabilarse para llegar... y todo ¿por puro placer, por que queremos, para pasarlo bien? ¿Por qué no?

El juego es una forma innata de aprender, es la capacidad que tenemos de ir experimentando y apropiándonos de lo que nos rodea y hacerlo de una forma placentera; el aprendizaje verdadero es siempre un juego en el que entran, como en todo juego, la motivación, el deseo, el reto, el descubrimiento, la creatividad, los trucos, el placer de llegar al final y de haberse superado.

La psicología cognitiva insiste en el papel del juego en el desarrollo del niño, tanto desde el punto de vista psicomotor, como afectivo, social, cognitivo y lingüístico. El niño que empieza a repetir sus ecolalias e insiste en subir y bajar, insistentemente, un escalón, está entrenando sus órganos fonatorios y psicomotores; cuando empieza a jugar con sus hermanos o amigos, está aprendiendo a vivir en sociedad; cuando un botón se convierte en un tesoro, en un platillo volante o en el amigo que le quita el frío, está satisfaciendo sus necesidades afectivas y al mismo tiempo desarrollando la función simbólica propia del lenguaje. En el niño todo es juego, o así al menos lo vemos los adultos, y a través de ese juego, todo es aprendizaje. ¿Y los adultos? Nos parece que ya no es serio jugar tanto y para aprender nos hemos inventando otros medios menos agradables y también menos efectivos —recordemos aquello de *la letra con sangre entra*—. Sin embargo, es probable que lo que no se haga jugando, no salga nunca bien —como decía Gala—, porque quizá no estemos en el mundo sino para jugar, y la creación, el amor, las respuestas a grandes preguntas, esas preguntas mismas tal vez no sean más que una forma de jugar al escondite...

2. Reglas del juego de aprender

Aprender una lengua extranjera —y en este caso, el español— es un buen juego, y para que siga siéndolo debe reunir los siguientes requisitos y atenerse a unas cuantas normas:

- Los jugadores quieren jugar y les gusta, o lo que es lo mismo, los aprendices tienen una alta motivación para aprender y el proceso de aprendizaje les es gratificante;
- Quieren conseguir una meta: comunicarse en español, expresarse en esa lengua como son, captar la idiosincrasia del país…;
- El ambiente de la clase permite que cada uno desarrolle sus propias estrategias para aprender;
- Existen fases de entrenamiento y momentos de riesgo;
- Los errores son ensayos y sirven para aprender;
- Cada día hay superación y enriquecimiento;
- Es un juego de grupo que requiere controlar las propias cartas y las de los demás;
- Es un juego de adivinación que activa todos los conocimientos y experiencias que se poseen;
- Es un juego creativo que se apoya en lo que se va aprendiendo;
- La clase es un taller activo, es un lugar de comunicación, un espacio de expansión afectiva, un sitio donde pasarlo bien;
- Participan todos como en un equipo: cada uno tiene un papel especial de acuerdo con su personalidad y habilidades y todos son importantes;
- El profesor no es el centro de la clase, ni el que lo sabe, lo dirige y lo contesta todo; es un atento observador de las necesidades de sus alumnos, motiva, da pistas, interacciona o juega como uno más, observa el proceso de aprendizaje y pone los medios para favorecerlo;
- Las normas del juego o el funcionamiento de la clase se negocian entre todos. Aprender de una forma activa, como la que estamos proponiendo, ofrece con frecuencia resistencias para los alumnos habituados a una enseñanza receptiva; el *juego*, el aprender de forma activa y dinámica no se puede imponer, es necesario negociarlo y asumirlo.

3. El juego como recurso

En las líneas anteriores hemos puesto de relieve el aspecto central de nuestro artículo: la concepción del aprendizaje y del aprendizaje de la lengua como juego, como un proceso que se sirve de los mismos mecanismos con los que jugamos; ahora, y sin desligarnos de ese componente lúdico del aprendizaje, vamos a detenernos en los juegos como recurso didáctico y a valorar las ventajas de su uso en el aprendizaje de un idioma.

La clase de lengua extranjera explota constantemente ese aprender como juego; si repasamos muchos de los materiales de nuestra práctica cotidiana, podemos observar ese componente lúdico, incluso, en las mismas consignas: *adivina, imagina, encuentra, empareja las frases, contrasta con tu compañero, haz como si fueras..., busca los errores, preparad cinco preguntas para que otro grupo las conteste, ¿quieres buscar la pareja ideal de estos chicos?, ¿cuántos puntos ha conseguido cada grupo?* Es una dinámica que responde al convencimiento de que el aprendiz tiene que estar activo y ser el actuante o actor de su aprendizaje para tener la oportunidad de descubrir cómo funciona la lengua, para ensayar sus hipótesis y poder llegar a interiorizarlas. Es una dinámica que, unida a un tema atractivo, convierte en aprendizaje lúdico cualquier momento de la clase.

Aparte de esa forma de trabajar, bastante habitual hoy, muchas veces decimos explícitamente *vamos a jugar a*, o *por qué no imaginamos que...* El profesor y los alumnos entran fácilmente en el juego y saben que no es tan inocente como parece, que es una forma lúdica de repasar léxico, de insistir en el uso de una preposición resistente, o de ensayar una nueva función. En el enfoque comunicativo, los juegos tienen un lugar central en la dinámica de la clase, porque se plantean no como una actividad para un momento de cansancio o para pasar un buen rato, sino con objetivos claros en el proceso de aprendizaje y, sobre todo, para posibilitar el ensayo de la interacción comunicativa en la nueva lengua. Vamos a repasar las virtualidades de esa entrada del juego en la clase. Los juegos:

- ayudan a crear esa atmósfera de familiaridad, deportividad, relajación, diversión... donde es posible ensayar sin inhibiciones;
- proporcionan formas amenas y variadas de practicar y ensayar con la lengua;
- despiertan la creatividad para resolver las diferentes situaciones propuestas, revalorizando así el aspecto creador del aprendizaje de la lengua;
- potencian el estar activos y ser responsables del propio aprendizaje;
- posibilitan la repetición necesaria para interiorizar los exponentes lingüísticos, sin aburrir, renovando la atención cada vez y creando las condiciones para que se produzca laguna de información e interés en el intercambio comunicativo. Nos referimos a los ejercicios que ayudan a la automatización de una nueva estructura o a la corrección de un error fosilizable, ejercicios que se centran en la forma, pero desde una perspectiva comunicativa: con lenguaje auténtico e interacción verdadera; (ver ejemplos en juegos de *Práctica controlada*).

- favorecen la interiorización y la posterior utilización de los exponentes con los que se trabaja, no sólo porque se produce mayor motivación y desinhibición, sino también porque en los juegos, normalmente, intervienen mecanismos cognitivos y sensoriales diversificados;
- hacen posible la *simulación global* de situaciones imaginadas, pudiendo llegar a convertir la clase en una casa de vecinos, un mercado, etcétera;
- facilitan el asumir un papel como en los *escenarios* o en los *juegos de roles*;
- generan laguna de información y negociación auténtica del sentido. En los juegos, normalmente, se tiene que descubrir, encontrar, adivinar algo que no se conoce, para lo que es necesario solicitar y dar, en cada caso, los datos necesarios y valorar si son o no suficientes para seguir el juego y conseguir la meta. Se cumplen así las condiciones básicas para desarrollar la interacción comunicativa auténtica;
- apoyan el trabajo cognitivo de descubrir y apropiarse de las reglas de la lengua.

Los juegos, en general, nos proporcionan todas esas posibilidades, pero si nos centramos después en los diferentes tipos de juegos, podríamos encontrar otra serie de ventajas específicas de cada uno de ellos: los juegos de habilidad, de reto personal, de competición, de colaboración, de simulación, de asociación, de adivinación, de invención, los juegos de mesa, los que implican movimiento o entrada de las sensorialidades, y ya desde el punto de vista de la lengua, los que se centran en la forma o en el significado de las palabras o en la gramática o en la interacción oral/escrita o en la misma creación lingüística. (En este mismo número de la revista se *jugará* con todos ellos; nosotros, en el último apartado nos detenemos en los últimos citados, los de creación o recreación con la misma lengua.)

4. Los juegos en el proceso de aprendizaje

Partimos del presupuesto de que los mecanismos de aprendizaje de la lengua se activan a partir de la necesidad de comunicación; en la adquisición natural, en una situación concreta, el aprendiz se pregunta cómo se dirá, qué significa, por qué han dicho... Esta necesidad y estas preguntas provocan la formación de hipótesis, a partir de los datos que se poseen; hipótesis que, a continuación, se verifican, se contrastan, se reformulan si es necesario, o se confirman cifrando o conceptualizando lo descubierto; si los exponentes en cuestión se practican con frecuencia, porque responden a una situación de comunicación habitual, se automatizan y se pueden recuperar cuando se necesiten.

En clase podemos aprovechar los intereses y necesidades de los alumnos para provocar la necesidad de saber cómo se dice en español eso concreto que se quiere decir o entender; para apoyar el proceso de formación, contraste y confirmación de hipótesis, la clase concentra, en tiempo y en espacio lo que en la adquisición natural son los datos reales y la exposición continua; para ello proporcionamos o sugerimos los materiales —revistas, cartas, libros, cintas, pósters...— donde se puede encontrar la expresión de las funciones o el elemento que se busca; en una línea de trabajo que va de la curiosidad o la necesidad a la búsqueda, a la práctica controlada —centrada más en la forma— y a la práctica libre —centrada más en el significado—, estamos facilitando el proceso que llevará al aprendiz a descubrir, ensayar e interiorizar la lengua. En todo ese proceso, el juego o la dinámica lúdica ofrecen infinitas posibilidades. Veamos algunos ejemplos.

4.1. Juegos de arranque

Estos juegos pretenden, desde el primer momento:

- crear el ambiente para que la interacción en la L2 sea auténtica (conocimiento, respeto, confianza, cordialidad, asumir el propio papel);
- dinamizar el estilo de aprendizaje (actitud activa, indagadora, cooperativa);
- situar al aprendiz en el centro del proceso y prepararlo para que se cumpla el propósito comunicativo que se tiene previsto.

En relación con este último punto, algunos profesores y materiales desligan esta fase (de motivación o arranque) del trabajo que se va a realizar a continuación, proponiendo un juego cualquiera, ya que consideran esta fase sólo como un momento de precalentamiento para desinhibir y crear una situación didáctica relajada y cordial; nosotros creemos, por el contrario, que todo eso se puede conseguir, pero no con un objetivo comunicativo o lingüístico aleatorio, sino justamente como parte de la secuencia didáctica que se está iniciando.

Imaginemos, por ejemplo, un grupo de alumnos que ya se conocen y han practicado y jugado en un curso anterior con los nombres, gustos personales y descripción de personas; empieza un nuevo curso y se quiere cohesionar el grupo para que funcione la comunicación; se vuelve a insistir en las funciones de presentación, descripción de personas y expresión de gustos; un juego de arranque como el siguiente repasa lo sabido, lo actualiza y propone nuevos recursos:

¿Quién es?

1. Se decide qué queremos conocer de nuestros compañeros (o de otra persona); por ejemplo: una cualidad, un defecto, una rareza sentimental, etcétera.

2. Cada alumno contesta, en papeles distintos, a cada uno de los puntos que se han decidido (sobre sí mismo o sobre un compañero al que se puede entrevistar).

3. Se juntan los papeles y se mezclan; después se reparten entre todos los alumnos o por grupos, dependiendo del número.

4. Cada uno tiene que reunir todos los papeles de una persona; para ello debe hacer las preguntas pertinentes a sus compañeros, dar pistas de lo que él tiene, etcétera.

5. Se pegan todos los papeles de la misma persona en un folio y se coloca en la pared para que todos lo lean y para posteriores actividades.

Este tipo de juegos, además de proponer la práctica de determinadas funciones, responde a los intereses de los aprendices, provocan interacción oral y escrita con laguna de información y ayudan a conocerse y crear el clima necesario para la comunicación.

4.2. Juegos para provocar la necesidad de comunicarse en español

Es necesario cumplir esta fase sobre todo cuando se aprende la lengua en el propio país y cuando este aprendizaje forma parte de una enseñanza reglada; en los casos contrarios, es decir, cuando se aprende el español en un contexto en el que éste es lengua vehicular, o cuando se estudia con fines específicos, esa motivación ya existe y lo único que hay que hacer es no descuidarla. En todos los casos, aparte de las situaciones reales que surgen en el aula, se pueden proponer juegos como los siguientes:

- Pactar el decir en español las rutinas de clase (saludos, peticiones, informaciones puntuales); si no se dice en español, los demás se hacen los sordos o contestan con un *¿cómo?*
- Inventar en español el diálogo de un vídeo sin sonido, o de una representación muda que hace otro grupo. Después de un primer visionado, se tienen que poner las voces de los que actúan, como en el karaoke o en el doblaje de películas;
- Aportar canciones y películas sugerentes para los alumnos, así como revistas que soliciten intercambios;

- Con niños, es muy útil tener en clase unas marionetas, que son la amiga y el amigo español, que saben canciones y cuentos preciosos y que sólo entienden español.

Insistimos en que los juegos pueden ayudar a fomentar esa necesidad de comunicación en la nueva lengua, pero también en que ese objetivo tiene su consecución ideal en la realización lúdica de actividades reales como las que proporcionan, por ejemplo, los intercambios escolares (cartas, cintas, vídeos, encuentros) o los miles de *tareas*, excursiones, entrevistas que se pueden hacer desde la clase.

4.3. Juegos para formar hipótesis

Para fomentar la formación de hipótesis son válidos todos los juegos de adivinación, de actualización de experiencias y conocimientos, de comparaciones, de generalizaciones de reglas, de resolución de problemas. Ejemplos:

- A partir de un título más o menos disparatado, imaginar de qué trata una noticia, o a partir de las expresiones de los interlocutores, imaginar de qué se está hablando.
- Inventar palabras a partir de unas pistas, y ver luego si existen.
- Jugar a «pitufar», sustituyendo la palabra que se debe adivinar por el comodín, adaptándolo a la categoría gramatical correspondiente. Además del ejercicio morfológico que ello comporta, es necesario adivinar el significado del «pitufar» a partir del contexto, situación y de los rasgos semánticos (*¿Pitufan los gatos? Mi pitufo hoy no arrancaba.*)
- Proporcionar tarjetas con frases diferentes, que pueden servir para resolver una serie de situaciones de comunicación; se puede jugar buscando a los compañeros que tienen las frases complementarias y representando juntos la situación.
- Proponer situaciones y frases de los que sea deducible una serie de constantes para poder formular una regla; por ejemplo: a partir de la descripción de comportamientos diversos, inducir las costumbres de un país inventado; a partir de una lista de formas verbales, deducir las constantes paradigmáticas de personas y tiempos.
- Mensajes en clave para descifrar.

4.4. Práctica controlada

Hay un momento en el proceso de aprendizaje en el que es necesario practicar con lo que se está aprendiendo; cada uno tiene sus estrategias para recordar palabras, para que no se le olvide el uso de una preposición o la construcción de una frase. En los métodos estructurales se repetían y repetían frases aburridas con la esperanza de ayudar a automatizarlas correctamente. Hoy no creemos que la base del aprendizaje sea la repetición, pero nadie niega que ésta sea una estrategia más de aprendizaje y que se deba practicar en determinados momentos. Se puede repetir, pero ya que se repite para ayudar a automatizar construcciones, más vale que éstas respondan a los problemas reales de los aprendices y que se realicen con lenguaje auténtico; por otro lado, si este ejercicio se plantea como juego, se posibilita la laguna de información y con ello, la negociación del significado; el proceso activo de descubrimiento dinamiza a toda la persona y el aprendizaje es más eficaz; además, la repetición propia del juego facilita la interiorización y fijación de estructuras de una forma estimulante y creativa. Ejemplos:

- **Si fueras**: En un tono distendido y humorístico, un alumno pregunta al que está a su lado: *¿qué harías si fueras presidente?* o *si supieras pintar ¿qué pintarías?, si tuvieras un barco ....* El compañero debe responder con imaginación y a continuación preguntar al que tiene al lado.
- Para la misma estructura condicional, en grupos, se inventa una personalidad para cada miembro del grupo; el otro grupo tiene que adivinar esa personalidad con las preguntas: «*¿si fuera planta, qué sería?, ¿si tuviera dinero, qué haría?, ¿si fuera una hora...*».
- Los regalos: *Para que no me olvides.* Cada alumno pinta en un papel un posible regalo; se juntan y se reparten al azar. A continuación cada uno debe regalar el objeto que le ha tocado a un compañero, con una frase de dedicatoria: Ejemplo: *una gorra: para que no se te escapen las ideas; una bicicleta: para que llegues puntual...* La dedicatoria se adapta a la personalidad, gustos y a todo lo que se conoce del destinatario.
- Jugar a esconder algo. En pareja o en grupo, unos dan las instrucciones de búsqueda, los otros buscan lo escondido. Ejemplo: *A ver quién encuentra a Wally. Pistas: está al lado de una farola y muy cerca de un quiosco; delante de él hay varios coches y detrás está la estatua de la Libertad...*
- Se pueden aprovechar canciones, dichos, refranes que contengan la estructura que queremos trabajar, y que sirvan de modelo para irlas modificando creativamente. Por ejemplo, la siguiente canción ayuda mucho para utilizar traer/llevar, ir/venir: «*Que quieres que te traiga si voy a Madrid / No quiero que me traigas; que me lleves, sí*».
- En clase se puede modificar inventando otros destinos y practicando así la construcción de *ir* con la preposición *a*.

La mayor parte de los ejercicios en los que cada participante tiene una parte de la información y debe completarla con las instrucciones o respuestas del otro, se realiza para practicar de forma controlada, y al mismo tiempo comunicativa, construcciones particulares o la expresión de las funciones que se están estudiando. Hay muchas formas de jugar y muchas formas de dar un giro lúdico a una actividad. Sólo hay que procurar que se adapten a la edad e intereses del grupo o de la clase y al aspecto que se quiere trabajar.

4.5. Hacia la interacción libre

Volvemos al aprender como juego, para cumplir el reto de hacer en español tantas tareas auténticas como es posible realizar en y desde la clase: decidir lo que vamos a hacer, votar, preparar juntos una entrevista de trabajo, celebrar los cumpleaños, visitar una parte de la ciudad, probar la comida de cada país, grabar una cinta...; todo ello responde a una parte de nuestro programa, posiblemente la más interesante, porque es la que se necesita o motiva y todo ello es *juego*. En los primeros cumpleaños de la clase, por ejemplo, sugerimos hacerles una felicitación a las o los homenajeados: en una hoja, los que saben dibujar se esmeran en ello y los demás expresamos deseos muy personales; el primer día y el segundo recordamos cómo se hace (*que* + subjuntivo): *que encuentres a tu príncipe azul, que te llegue el dinero a fin de mes...* En los demás cumpleaños o fiestas se realiza de forma habitual y espontánea.

Todas las simulaciones, representaciones, juegos de roles que se realizan en clase para ensayar la expresión de las diferentes funciones en situaciones diversas, son actividades lúdicas; es importante realizarlas como tales, dejando a los alumnos que asuman el papel acorde con su personalidad y sin perder la gracia del juego; lo contrario puede llevar al ridículo y al rechazo.

5. Dinámicas de la clase para el juego

Al analizar el aprendizaje como juego nos hemos referido a las condiciones que se deben dar en la clase para que funcione el componente lúdico, así como a las **consignas** que ayudan a despertar ese aire de juego: *adivina, a ver quién encuentra, inventa, busca...;* no nos detenemos en repasar los **materiales**, pero sí recordamos que son muy asequibles y que los podemos tener preparados o prepararlos en clase, como parte de la actividad: tarjetas con dibujos y con frases, papeles grandes y pequeños, pegatinas, gorros, pelotas, las sillas de la clase —movibles mejor—, transparencias, rotuladores, papel celo, tijeras, «blue-tack» para pegar los papeles en cualquier sitio, juegos de cartas, de la oca, bingos, publicidad de los supermercados, revistas, periódicos, el mismo lenguaje y todo lo que la imaginación de la clase pueda dar de sí. Se puede jugar, además, sentados, en grupo, en pareja, de frente, de espaldas, con una pegatina en la frente, moviéndose, con información previa, con dibujos, con gestos, hablando, cambiando de grupo, compitiendo, colaborando, etcétera, de acuerdo con el tipo de juego y el objetivo de aprendizaje.

La interacción auténtica y los juegos requieren una **dinámica de grupos** donde sea posible moverse, cambiarse de sitio y sobre todo, mirarse, hablarse y escucharse unos a otros y no sólo al profesor. Se puede jugar-trabajar todos juntos, en grupos grandes, pequeños, en pareja o individualmente (Fernández, 1996).

El juego o la actividad en **gran grupo** o grupo colectivo es el idóneo para los momentos de motivación, presentación de los juegos, demostraciones de cómo llevarlos a cabo, de toma de acuerdos, de lluvia de ideas, de enriquecimiento de los contenidos, de llegar a acuerdos, de consideraciones o explicaciones generales, de corrección de errores, de introducciones de una nueva estructura, de síntesis, de representaciones y dramatizaciones...

La actividad en **parejas** es una de las formas de trabajo más rentables para favorecer la comunicación, como primer paso para la participación posterior en grupo, asegura la ejercitación de todos los alumnos, estimula al trabajo personal, ayuda a contrastar opiniones, crea seguridad al comprobar las propias posibilidades y al compartir los problemas. Es la actividad ideal para los que tienen más miedo a arriesgarse y para los que tienen problemas de hablar en grupo, es un paso ágil del trabajo individual al de grupo y viceversa y se presta para todo tipo de actividades: información repartida entre los dos, adivinanzas, láminas, juegos de cartas, itinerarios, acopio de ideas para un tema, preparación de juegos, corrección mutua, etcétera.

El trabajo en **grupos pequeños**, de número variable (actividad más controlada: por pareja, o tres o cuatro alumnos; actividad más creativa: de cinco a siete), enriquece el contenido y es muy útil para lluvia de ideas, debates y juegos más complejos en los que se reparten las actividades y las funciones.

El **trabajo individual** es necesario para preparar la participación en el grupo y para todas aquellas actividades que requieren adecuarse al ritmo personal de cada alumno: diferentes tipos de lectura silenciosa, resolución de problemas, crucigramas, expresión escrita personal creativa, juegos de autocomprobación, etcétera.

Esta variedad de situaciones didácticas ha superado la *enseñanza frontal*, como única forma de estar en la clase, situación que reflejaba claramente el poder del profesor, la disciplina y, sobre todo, una concepción del aprendizaje de la lengua ajeno a la práctica comunicativa. La dinámica que hemos señalado, por el contrario, abre la puerta a situaciones diversas que se adaptan a cada uno de los momentos de la clase y que hacen posible el jugar-aprender del que venimos hablando.

6. Jugar sin materiales. Jugar con las palabras

Hasta ahora nos hemos centrado en el tema del aprender como juego y del juego como estrategia activa para favorecer el aprendizaje. Antes de acabar, nos queremos acercar a una fuente especial de recursos para jugar y es la que ofrece la misma lengua. Se trata de una función específica del lenguaje, la función placer o función lúdica. Esta función es la que hace posible que a través de la misma lengua podamos reír, sonreír, crear, re-crearnos, obtener libertad y placer, y no tanto por el qué, por lo que se dice, sino por el poder que tiene la misma lengua de arrastrarnos con su ritmo, de provocarnos con sus combinaciones, de sorprendernos con los diferentes encuentros de las sílabas, de provocar nuestra inteligencia para inventar, de espabilar nuestro humor para captar su juego y de proporcionarnos, no sólo un instrumento, sino toda una experiencia lingüística.

Este juego de crear y recrearse con la lengua, aunque es verdad que no es primario cuando se aprende un idioma, sí posibilita y facilita la comunicación de una manera especial: no se informa sobre un referente ni se pide un favor, pero se establece la comunicación de una forma más emocional, y más profunda, anterior, incluso, a la racional. Cuando se va a sacar más partido de este juego es a partir de los niveles medios de aprendizaje, pero puede estar presente desde el principio; actividades como la discriminación de los nuevos fonemas y grafemas se prestan a múltiples juegos formales: canciones, trabalenguas, pequeños poemas, juegos de entonación, búsqueda de palabras que contengan el fonema que se trabaja, comparaciones de las onomatopeyas de los diferentes países, la risa de cada uno, las diferencias de pronunciaciones, la repetición o invención de trabalenguas, la creación y resolución de crucigramas... Todo eso, desde los primeros momentos; pero ya, a partir de los niveles medios, sobre todo si se reside en el país de la lengua que se aprende, se despierta la necesidad de captar mensajes más variados y de entender las segundas intenciones buenas o guasonas o... lúdicas que caracterizan cualquier discurso, desde el coloquial al publicitario y al literario. Pronto el alumno necesita saber el porqué de la hilaridad que provoca cuando dice inocentemente: *Profesora, estás muy buena*, o cae en las múltiples meteduras de pata a las que estamos habituados. Después de esa primera fase de comprensión, el alumno siente, también, la necesidad de comunicarse en el nuevo idioma, no de una manera aséptica, sino de una forma personal, con su ironía, su humor y expresándose como es. Todo ello no será posible si no aprendemos a jugar con las palabras.

Otra de las consecuencias más interesantes de estos juegos es el ayudar a captar los mecanismos de la lengua, ya que se pone especialmente de manifiesto el aspecto formal del signo, tanto de la expresión como del contenido. Si jugamos, por ejemplo, con el prefijo arbitrario y le ponemos prefijos a las palabras que no lo llevan, además de crear conceptos nuevos o futuristas, estamos descubriendo uno de los procesos más fecundos en la formación de palabras y captando el valor de cada uno de sus componentes; al lado de *hipermercado*, podemos inventar *hiperparaguas, hipermosquito* o *un desacapuntas, una maxizapatilla* o *un refontanero* (que sería sumamente útil). Además de divertirnos, estamos jugando con las posibilidades que ofrece el sistema de la lengua y que no se agotan en la norma, como nos recuerda Coseriu.

Finalmente, aludiremos a otro porqué importante de este jugar con las palabras y es el abrir a nuestros alumnos a la experiencia lingüística de disfrutar de los textos que juegan con el lenguaje y de animarles para que ellos ensayen también.

Ejemplos

Ofrecemos a continuación algunas muestras de estos juegos (para un desarrollo más amplio, nos remitimos a Fernández, 1987).

Para trabajar con los fonemas:

- Captar el juego fónico en anuncios, canciones, títulos, retahílas, o poemas: *Ibiza en bici, Sola en la sala, De vinos, divino, Colorín, colorado, este cuento se ha acabado, Don dondiego no tiene don, / don, Don dondiego / de nieve y de fuego; /don, din, don / que no tenéis don (…)* R. Alberti.
- Hacer gimnasia articulatoria con los nuevos fonemas, repitiendo los trabalenguas de toda la vida o los que podemos inventar con una técnica muy fácil: empezamos buscando palabras en las que entren los fonemas que queremos trabajar y luego organizamos frases de mayor o menor dificultad; por ejemplo con /k/ y /j/: *caja, queja, coja, quejar, coger, cojear, cajero, quejido, quijada, cajón, quejoso, jaca, jaque, jeque, recoger…: Una jaca coja se quejaba de su jeque que cojeaba recogiendo cajas para su peque.*

    Los mismos fonemas son los que se repiten en la copla popular: *Un cojo cojeando, cogiendo flores, decía a otro cojo: Cojo, ¿qué coges?, cojo, ¿qué coges?, cojo, ¿qué coges?, un cojo cojeando, cogiendo flores.*

Para trabajar con el significante y el significado de las palabras:

- Buscar todas las palabras que se pueden formar a partir de las letras contenidas en una primera y asociarlas después rítmicamente (*Marisol: sol y mar, sola, salí, ramos, mira, miro, risa, ola, amor, mirasol... miro el halo del sol, las olas del amor*).
- Sacar dos palabras de una más larga (*político* → *tilo y pico; teléfono* → *foto y leen*).
- Combinar dos o más palabras e inventar una nueva como *eurovisión (chocoleche, teletonta), charadas (oro parece, plata no es)*.
- Llegar de una palabra a otra, cambiando algunas letras (de *gato a perro: gato, pato, peto, pero, perro*).
- En corro, tirándose una pelota como en *De la Habana ha venido un barco cargado de...*, se dicen palabras que empiecen por la misma letra, o por la sílaba en que ha terminado la anterior (*comida - dado - dólares - resfriado...*).
- Inventar crucigramas (se escribe una palabra en vertical y después se buscan en las horizontales palabras que contengan una letra que coincida con cada una de las letras de la vertical; se hacen dibujos o se definen y se dejan sólo las casillas para que lo resuelva un compañero).
- Captar los juegos de palabras de los anuncios (*Renfe mejora tu tren de vida*).
- Comprender e inventar adivinanzas.

Para trabajar con la frase (ver también los ejemplos incluidos en el apartado de juegos de *Práctica controlada*).

- Completar libremente frases hechas, anuncios, versos, refranes (*Perro ladrador, poco mordedor*, se convierte en *perro ladrador, buen despertador, ... asusta al ladrón*).
- El binomio fantástico (de Rodari): relacionar palabras con preposiciones o conjunciones y después inventar las historias que esas asociaciones sugieren (*abrigo - pastel: abrigo de pastel, pastel de abrigo, abrigos para los pasteles, pasteles bajo el abrigo, ¿quién come pasteles de abrigo?*).
- Acrósticos (*v i a j e: volver invita a jugar encantados*).
- Inventar frases, contestando a las preguntas de *dónde, cuándo, quién, qué, cómo, por qué*; frases serias o disparatadas, continuando lo que ha escrito el compañero, viéndolo o sin verlo.

Para trabajar con textos: completar, distorsionar, imitar o producir textos a partir de una estructura dada o inventada; los anuncios se prestan mucho a este juego, pero también los cuentos, las canciones, los poemas y todos los textos rítmicos y con una estructura clara; el trabajo se hace colectivamente, en grupos, individualmente, o cada grupo una parte. Por ejemplo:

> Después de leer a fondo el poema de Cernuda «Te quiero», se pueden mantener las reiteraciones rítmicas y completarlas libremente: (en cursiva señalo lo que se mantiene): *Te quiero / Te lo he dicho con* la mañana, / *Te lo he dicho con* la tarde / *Te lo he dicho con* la noche / *Te lo he dicho con* la risa / *Te lo he dicho también con* la pena / *Te quiero.*

Para terminar, ofrezco una estructura sencilla, rítmica y fácil de llevar a la práctica; me la regaló una amiga. Seguro que te sale un poema bonito. ¿Quieres jugar y hacerlo?:

- Elige y escribe el nombre de una persona o de una cosa que te guste.
- En el verso siguiente, escribe dónde está; dos o tres sitios.
- En el otro, elige dos o tres adjetivos para decir cómo es.
- En otro verso, escribe dos o tres verbos que digan lo que hace.
- En otro escribe algo que tú piensas sobre ello, una frase corta y bonita.
- Por último, repite el primer verso, igual o con alguna variante.

Por ejemplo:

> *Mi juego,*
> *lejos, cerca, contigo,*
> *feliz, cómplice, amigo,*
> *sorprende, ríe y llega.*
> *Si lo adivinas, te lo doy.*
> *Este juego, tu juego.*

Adivina, adivinanza…

¿lo has adivinado?
Es tuyo. Ahora te toca a ti.

Bibliografía

ALARCOS LLORACH, E. (1950), «Fonología expresiva y poesía», *Archivum:* págs. 179 y sigs.
AGÜERA, I. (1990), *Curso de creatividad y lenguaje*, Madrid, Narcea.
BRAVO VILLASANTE, C. (1973), *Antología de la literatura infantil española*, Madrid, Doncel.

CARÉ, J. M., y DWBYSER, F. (1978), *Jeu, langage et creativité,* Paris, Hachette-Larousse.

FERNÁNDEZ, S. (1987), «El desarrollo de la función lúdica en el aula», *II Jornadas Internacionales de Didáctica del Español como lengua extranjera,* Madrid, Ministerio de Cultura, Dirección General de Cooperación Cultural, Servicio de Difusión de la Lengua: págs. 19-40.

FERNÁNDEZ, S. (1996), «La clase, un lugar para la interaccción comunicativa», *LEND (Lingua e nuova didattica) XXV:* págs. 102-117.

JAKOBSON, R. (1983), *Lingüística y poesía,* Madrid, Cátedra, original 1958.

JULIEN, P. (1988), *Activités ludiques,* París, Clé International.

LEE, W. R. (1965), *Language Teaching Games and Context,* Oxford, Oxford University Press.

QUENAU, R. (1987), *Ejercicios de estilo,*Madrid, Cátedra, versión de A. Fernández Ferrer.

RECASÉN, M. (1986), *Cómo jugar con el lenguaje,* Barcelona, Ediciones CEAC.

REYES, A. (1986), «Las jitanjáforas», *La experiencia literaria,* Barcelona, Bruguera: págs. 212 y sigs., original 1941.

RODARI, G. (1979), *Gramática de la fantasía (Introducción al arte de inventar historias),* Madrid, Reforma de la Escuela.

WEIG, F. (1980), *Jeux et activités communicatives dans la classe de langue,* París, Hachette.

YNDURÁIN HERNÁNDEZ, F. (1974), «Para una función lúdica del lenguaje», *Doce ensayos sobre el lenguaje,* Madrid, Rioduero: págs. 215-227.

El placer de aprender

Equipo TANDEM Madrid
(Óscar Cerrolaza, Charo Cuadrado,
Yolanda Díaz, Mercedes Martín)

En este artículo vamos a reflexionar sobre el tema del juego y las actividades lúdicas en la clase de español como lengua extranjera (E/LE). A partir de la revolución metodológica de los años 70 que supuso el enfoque comunicativo, se empezó a hablar de la importancia que en el aprendizaje tiene que el estudiante se divierta. Desde entonces, cualquier manual didáctico de español incorpora actividades de este tipo y en el mercado han aparecido también otros materiales complementarios. Por lo tanto, no pretendemos hacer una lista de posibles juegos ni resaltar el carácter lúdico de los mismos, sino hacer una reflexión más o menos teórica del porqué utilizar estas actividades y qué ventajas nos ofrecen en cuanto a la dinámica de clase, al cambio de medios, a la creación de contextos, a incentivar la creatividad del alumno, ... Tampoco pretendemos decir que todas las actividades en el aula tengan que girar en torno a esto, ni que sólo se puedan hacer juegos en la clase; pero sí reivindicar el papel de lo lúdico en la enseñanza.

Aquí te presentamos una pequeña lista de actividades lúdicas que se suelen realizar en la clase de español como lengua extranjera:

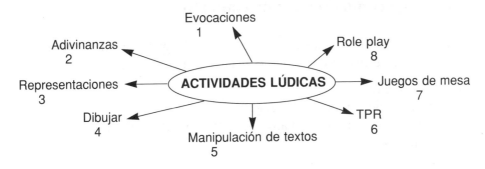

Indica con qué frecuencia utilizas en tus clases estas actividades:

	1.	2.	3.	4.	5.	6.	7.	8.
nunca								
casi nunca								
ocasionalmente								
muchas veces								

De las siguientes justificaciones para utilizar actividades lúdicas en el aula, indica con cuál o cuáles estás más de acuerdo:

1. Porque son divertidas.
2. Porque estimulan la creatividad del alumno.
3. Para rellenar unos minutos de clase.
4. Para practicar exponentes nocio-funcionales.
5. Porque crean un buen ambiente en la clase.
6. Para intentar que los tímidos tengan su oportunidad de hablar.
7. Porque están dormidos, para despertarlos.
8. Porque un colega me ha dicho que funcionan.
9. Porque aprenden sin darse cuenta.
10. Porque interviene el mundo del alumno.

Para todo el mundo parece evidente que las actividades lúdicas son muy utilizadas en el aula de E/LE porque son divertidas, estimulan al alumno y, en muchos casos, desbloquean la tensión del aprendizaje. En otros casos, son buenas para cambiar de actividad, para relajarlo en el paso de una fase a otra, etcétera. Pero como ya hemos mencionado al principio, lo más importante es tener en cuenta el proceso de adquisición de la lengua y de qué modo lo lúdico influye de forma positiva en ella.

1. El juego como creador de contexto

En la preparación típica de una clase se suele plantear una serie de fases o pasos que se deben dar y que podríamos resumir así:

1. Preparación.
2. Presentación-muestra de lengua.
3. Semantización-conceptualización de exponentes nocio-funcionales.
4. Práctica.

Teniendo en cuenta este esquema, indica qué actividades lúdicas de las antes señaladas utilizarías en cada una de las fases. No se trata de que en cada fase tenga que haber una actividad lúdica, ni de que un determinado tipo de actividad lúdica sirva sólo para una fase concreta. Es decir, en cada fase se podría utilizar alguna de ellas. Relaciona:

	Adivinanzas
	Dibujar
Preparación	Evocación
Presentación	Juegos de mesa
Semantización	Manipulación de textos
Práctica	Representaciones
	Role play
	TPR

Veamos un ejemplo:

"El peatón chocó contra mi coche y se metió debajo"

Algunas de las disparatadas frases que los automovilistas escriben en el parte de accidente

JOSÉ A. HERNÁNDEZ, **Madrid** "El tío estaba por toda la calle y tuve que hacer algunas maniobras bruscas antes de atropellarle". Descifrar las declaraciones de algunos automovilistas involucrados en un accidente de tráfico obliga muchas veces a los jueces a efectuar verdaderos ejercicios de interpretación. Después de un siniestro, los implicados resumen ante el juez —se les pide que lo más escuetamente posible— lo ocurrido. El nerviosismo y el apasionamiento por exculparse del presunto infractor originan a veces relatos esperpénticos. Un funcionario judicial de la plaza de Castilla ha compendiado algunos de ellos. Por los juzgados corren las fotocopias con los casos más divertidos.

«El País», pág. 6, 18/2/1996.

Vamos a organizar una clase con este material. En una fase de preparación podríamos realizar, entre otras, una de estas actividades:

1. Preguntar al alumno sobre los accidentes que ha tenido para centrar su atención y trabajar el vocabulario oportuno.
2. Darle el titular recortado en fichas para que, en parejas o grupos lo ordenen y después discutan en el pleno cuál es el titular más verosímil.

De las dos posibilidades marca con una X:

	1.	2.
1. Crea expectación		
2. Es participativo		
3. Le prepara para enfrentarse a un texto periodístico		
4. Le permite conocer el vocabulario específico		
5. Es dirigido		
6. Le evoca una situación personal		

Desde nuestro punto de vista, la segunda opción es más conveniente, ya que centramos a los alumnos en la tarea de comprensión de un texto periodístico, puesto que saben desde el principio de qué se trata. En ese momento el alumno pone en marcha inconscientemente su conocimiento de lo que es el lenguaje periodístico, el tipo de texto y el tema del que puede tratar. El juego de composición le lleva a activar sus conocimientos de sintaxis y semántica y le prepara también para realizar una comprensión global del texto. Además, en el segundo caso, se potencia la complicidad entre los alumnos, ya que, por grupos o parejas, reformulan el titular y tienen que justificar el que han elaborado.

Por el contrario, la primera posibilidad podría provocar la disipación del grupo y desviar el objetivo de la fase hacia un conocimiento de vocabulario o hacia una producción oral libre.

Las actividades lúdicas nos permiten crear un contexto comunicativo inmediato, ahorrándonos tiempo en las explicaciones que tendría que dar el profesor y rentabilizando el esfuerzo de los alumnos.

2. El juego como activador de la dinámica de clase

Te presentamos la siguiente actividad:

La clase se pone en círculo. Todos los alumnos están sentados en sillas, excepto el profesor, que está de pie. El profesor escribe en la pizarra:

El que ….
La que …. , que se cambie de sitio.
Quien ….

Al que ….
A la que …. , que se cambie de sitio.
A quien ….

El profesor hace la primera frase, por ejemplo: *Al que le guste el fútbol que se cambie de sitio* y, al cambiarse los estudiantes de silla, el profesor corre a sentarse en una, de tal manera que un estudiante quede de pie. Éste tendrá que hacer su frase para sentarse y así se continúa.

Como verás, este tipo de actividad permite que el alumno, por la necesidad comunicativa, conozca o entienda de una forma inconsciente una estructura del español, en este caso bastante compleja, ya que se trata de una oración de relativo sin antecedente con subjuntivo. En un proceso natural de adquisición de la lengua, el alumno, a la vez que escucha y entiende una estructura, la activa para conseguir fines concretos. Mediante este proceso inconsciente se asegura una competencia comunicativa.

El proceso inverso, es decir, de una explicación explícita de la regla a una práctica libre, exigiría del profesor unas explicaciones abstractas o metalingüísticas que complicarían el proceso y que, en algunos casos, harían fracasar al alumno o le darían la sensación de que es una estructura muy difícil, bloqueándole en su uso.

En la dinámica de esta actividad el alumno, al tiempo que hace hipótesis sobre la estructura y significado de la frase a través de las muestras de lengua que el profesor y sus compañeros presentan, comprueba que sus predicciones son las adecuadas. En fases posteriores el profesor presentará contextos diferentes en los que los alumnos volverán a comprobar sus predicciones sin que sea necesario, en principio, hacer teorizaciones; los mismos estudiantes podrán crear su propio esquema.

Además, este tipo de actividades tiene otras ventajas añadidas:

a) La propia dinámica del juego establece las reglas de participación. En el momento en el que el estudiante se queda sin silla verbalizará su orden para poder sentarse, respondiendo, así, no a un sentimiento de orden externo o a la presión del profesor, sino a la necesidad comunicativa. El alumno tímido perderá el miedo o la presión que podría sentir ante el hecho de tener que hablar en un tipo de clase/actividad más tradicional o más seria.

b) Potencia la autonomía del grupo, restando protagonismo al profesor al no realizar una clase frontal. Una actividad plenaria es más libre, menos receptiva y más activa, menos monótona. La interacción entre los alumnos es inmediata. El profesor participa como un elemento más, relajando el ambiente de la clase y, por todo ello, se crea una buena relación entre el grupo.

Otras actividades tienen las mismas ventajas, por ejemplo, el dominó que te presentamos a continuación:

Se reparten las fichas de dominó por la clase e, igual que se juega al dominó normal, los alumnos van colocando las fichas, en este caso relacionando situaciones con las frases. (Ver ejemplo).

3. El juego como cambio de medio

En cualquier clase existe la intención implícita y/o explícita de hacer progresar al alumno. Para ello, el profesor se marca unos objetivos pedagógicos o didácticos y propone una serie de actividades de aprendizaje para conseguirlos.

Vamos a suponer que en un curso de principiantes nuestro objetivo es que el alumno sea capaz de ubicar objetos en una casa y para ello necesitamos que conozca el vocabulario referente al campo semántico de los muebles. Tras una presentación de dicho vocabulario, se va a proponer una actividad de clase dirigida (ya que es la primera producción) y plenaria (porque se trata de que todos los estudiantes estén centrados en lo mismo). Te presentamos estas dos posibilidades, ¿qué ventajas y qué inconvenientes le ves a cada una de ellas?:

1. Los alumnos con sus libros van a verbalizar qué muebles ven en la foto que presenta su manual de español.
2. Se juega al *memory* en clase.

	Ventajas	Inconvenientes
1.		
2.		

En nuestra opinión, en la primera propuesta las ventajas son:

— El profesor no tiene que buscar material adicional (el manual lo proporciona).
— Los alumnos pueden tener muy claro el progreso de la enseñanza según van avanzando con el libro.
— Los alumnos pueden escribir sobre el libro las palabras y guardarlas para siempre.

¿Se habrán familiarizado suficientemente con el léxico?

Pero existen inconvenientes: la actividad de aprendizaje que proponíamos era plenaria y es imposible realizarla con un medio —como es un manual— individual y, por ello, hace que el alumno se pueda perder al no haber un foco común. Además, hablar de lo evidente no corresponde a una situación comunicativa real.

Analicemos comparativamente a continuación las ventajas e inconvenientes del *memory*:

— Ventajas: la primera y evidente es que la actividad plenaria se corresponde con un soporte de las mismas características dando la oportunidad de participar a todos los estudiantes. No sólo nuestro objetivo de verbalización se produce, sino que, además, en la verbalización de todos se está habitualizando auditiva y visualmente. La automatización y la memorización se producen de una forma no monótona y esto favorece el aprendizaje.
— Desventaja: necesitaríamos más tiempo, pero ¿no merece la pena utilizar más tiempo si es rentable?

Otro ejemplo sería jugar al parchís:

> Se confecciona un tablero de parchís en el que cada casilla tiene una imagen de un mueble diferente (o del campo semántico que se esté trabajando) y se juega como se hace habitualmente en este tipo de juego.

4. El juego como posibilitador de la interacción

Se dispone en clase de dos juegos de fotos idénticos por cada pareja o grupo. Estas fotos serán de personas famosas o no. Cada participante o cada grupo tendrá que elegir una de las fotos. La actividad consiste en hacer preguntas del tipo *¿Es rubio?*, *¿tiene bigote?*, ..., cuya respuesta sea *Sí* o *No,* para adivinar en qué foto ha pensado el compañero/grupo contrario. Gana quien adivine antes.

Marca con una cruz la respuesta que consideres adecuada:

El alumno pregunta para:
— practicar.
— reproducir lo que lee.
— obtener información de su compañero.

El alumno escucha a su compañero:
— por educación.
— porque necesita esa información.
— porque es el turno del otro.

La información que obtiene le sirve para:
— ganar el juego.
— hacer un ejercicio de clase.
— reafirmar lo que ya sabía.

Si un alumno no quiere participar:
— puede mirar las fotos de su compañero.
— puede copiar a la pareja de al lado.
— no gana.

Como verás, en esta actividad los alumnos preguntan para obtener una información que no tienen y es la que les permite tener la clave para ganar el juego. Y es ésta la única forma de hacerlo.

Ciertas actividades lúdicas, por su propia dinámica, generan vacíos de información y son éstos los que hacen que los alumnos tengan que interactuar para resolver la cuestión planteada. En la comunicación real sólo hablamos para conseguir fines concretos, para informar de algo que creemos que el otro no sabe, para informarnos de algo, para influir sobre otro, etcétera. Con propuestas como éstas se puede crear esa *situación real*. Como ves, para crear vacíos de información en clase no siempre es necesario darle a los alumnos diferentes materiales, sino que basta con crear una situación interactiva en la que se intercambian información, tal y como se produce en la comunicación real.

Otras actividades que comportan un vacío de información son las adivinanzas como las que te presentamos a continuación:

1. **Las mutaciones**. Se le da a cada estudiante una ficha en la que está escrito el nombre de un objeto. El estudiante, sin mirar la ficha, se la coloca en la frente. El resto de la clase le dará pistas para adivinar cuál ha sido su mutación. Por ejemplo, a un alumno con la ficha **vaca**, *has dejado de ser un ser humano*, *sigues teniendo pelo*, *te ha dado por comer hierba*, etcétera.

2. **Las reencarnaciones**. Se sigue el mismo procedimiento, pero en este caso deberán adivinar qué pasará cuando se haya reencarnado en otra cosa, persona o animal.

5. El juego como estimulador de la creatividad

Partiendo de los principios de la psicología del aprendizaje y de las últimas teorías de adquisición de lenguas, sabemos que utilizar técnicas que promuevan o potencien la creatividad estimula la actividad de los dos hemisferios del cerebro que se complementan entre sí, mejorando el rendimiento en el proceso de aprendizaje. Actividades más tradicionales que requieren un pensamiento más lineal o más lógico, sólo activan una parte del pensamiento del alumno y esto sólo satisface una parte de las necesidades cognitivas del mismo. En la enseñanza tradicional de idiomas se conseguía un alto grado de conocimiento formal de la lengua en perjuicio de la fluidez, porque su objetivo no era el conseguir una buena competencia comunicativa.

También es evidente que en el aprendizaje de idiomas intervienen en la misma proporción los canales afectivos y cognitivos del estudiante. Considerando todos estos aspectos existen ciertas actividades lúdicas basadas en la evocación o en la creatividad que con cierto tipo de estímulos provocan un resultado más eficaz.

Veamos un ejemplo:

Se escucha una cinta grabada con una serie de sonidos. Tras la audición, los estudiantes deben construir una leyenda o cuento utilizando su fantasía.

Otra posibilidad es sustituir los sonidos por esencias y que el estudiante escriba o describa lo que le evoca.

Otro tipo de actividades creativas que comportan que el alumno haga algo: collages, elaboración de un periódico o un cómic, confección de un esquema para explicar algo, tienen añadidas otras ventajas: estimulan la memoria del alumno. Según O'Connor y Seymour, recordamos un 90 % de aquello que hacemos, frente a un 10 % de lo que leemos, a un 20 % de lo que oímos y a un 30 % de lo que vemos.

6. El juego como mecanismo activador de la cultura

El juego puede ser mecanismo activador para acercarse a la cultura anfitriona. Para ello, hay que poner en marcha una serie de estrategias. Éstas no se activan siempre inmediatamente, ya que pasan por el filtro de la propia cultura y cuando se percibe un rasgo de la cultura anfitriona que no coincide con el de la propia, se tiende a valorarlo y a contrastarlo, lo que podría llevar a generalizaciones o categorizaciones absurdas. Para evitar esto podríamos hacer una serie de tareas interculturales que potencien el desarrollo de dichas estrategias y un *aprender a aprender* la diversidad.

Un aspecto cultural a tratar especialmente para alumnos que vivan en el país o que estén en él por un tiempo, es el mundo de la alimentación, por ejemplo. Para ello el alumno tendrá que saber el vocabulario de los productos, las medidas y los pesos, para adquirirlos; los establecimientos donde puede comprarlos. Aquí te proponemos esta actividad:

Se lleva a los alumnos al mercado y se los divide en grupos, se les da una serie de pruebas que tienen que superar, como las que siguen: descubrir en qué tipo de establecimiento pueden comprar arroz, hacer una lista de diez frutas que vean en el mercado, averiguar cómo se compran los huevos (unidad, kilos, docenas...), preguntar a una señora por un plato típico, los ingredientes para hacerlo y dónde se pueden obtener y, por último, preguntarle a una persona qué alimentos básicos tiene en su casa. El grupo que obtenga antes los resultados será el ganador.

1. ¿Qué actividades tiene que realizar el estudiante para conseguir las pruebas (Ginkana)?

2. ¿Crees que el alumno, mientras realiza la actividad, tiene la posibilidad de valorar la cultura anfitriona?¿Cuándo?
3. Uno de los objetivos de esta actividad en el mercado es el desarrollo de *estrategias culturales.* ¿Qué estrategias crees que se desarrollan?
4. ¿Qué actividades se pueden proponer para sustituir la visita al mercado?
5. ¿Si tuviéramos que hacer esto en el aula, qué resultados o efectos obtendríamos?

Desarrollar en el alumno estrategias interculturales. Como el abrir canales de percepción y estimular ésta no siempre resulta fácil, dado que muchas veces el estudiante se resiste a ello. Por eso, actividades como la anterior permiten hacer de forma inconsciente un trabajo de este tipo, sin darle ocasión para plantearse ninguna valoración sobre la cultura ajena.

7. Conclusiones

Para realizar cualquier actividad, uno de los componentes esenciales es la motivación, el hacerlo con gusto; de ahí que nuestras clases tengan que ser amenas, divertidas, etcétera. Atrás quedaron los tiempos en los que aprender era sinónimo de hacer codos. No hay mayor mentira que aquello de que *la letra con sangre entra.* Pero, como en cualquier actividad, todo tiene sus reglas, sus porqués, sus cómos y sus cuándos. No juguemos por jugar, juguemos para aprender.

La clase ideal no es aquella que reúne más juegos, sino aquélla en la que, teniendo unos objetivos didácticos concretos, el juego interviene para posibilitar un cambio de medio, mejorar la dinámica de la clase, incentivar la creatividad del alumno, crear contextos, etcétera.

Bibliografía

PALENCIA, R. (1990), *Te toca a ti. 50 juegos para la práctica comunicativa de la lengua y cultura españolas,*Madrid, Servicio de Difusión del Español, Dirección General de Cooperación Internacional, Ministerio de Cultura.

SÁNCHEZ BENITO, J. y SANZ OBERBERGER, C. (1993), *Jugando en español. Actividades interactivas para la clase de español*, Berlín, Langenscheidt.

MORENO, C. (1996), «Actividades lúdicas en la enseñanza del español», *Frecuencia L*, 3: págs. 28-35.

ARMADA, I. (1996), «Juegos», *Frecuencia L*, 3: págs. 18-20.

O'CONNOR, J., y SEYMOUR, J. (1992), *Introducción a la Programación Neurolingüística*, Barcelona, Urano.

LOS MÉTODOS
EN LA ENSEÑANZA DE IDIOMAS

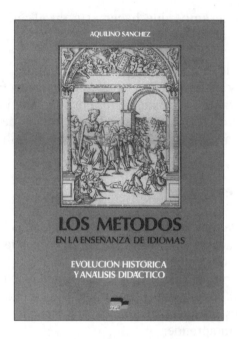

AQUILINO SÁNCHEZ

Descripción detallada y analítica de los
principales métodos que, a lo largo de la historia,
se han utilizado
en la enseñanza de lenguas extranjeras:

MÉTODO INTERLINEAL, VÍA MEDIA,
MÉTODO DE LA DOBLE TRADUCCIÓN, MÉTODO DIRECTO,
MÉTODO DEL SILENCIO, MÉTODO SUGESTOPÉDICO,
MÉTODO AUDIO-ORAL...

 SGEL

SOCIEDAD GENERAL ESPAÑOLA DE LIBRERÍA, S.A.

Actividades lúdicas
para practicar la Gramática

Concha Moreno
Universidad de Málaga

1. De la Gramática o la competencia gramatical

¿Es necesaria la gramática? ¿La consideramos un paso indispensable hacia la comunicación real? ¿Cómo se interioriza?

Para contestar a estas preguntas podemos recurrir a los teóricos y encontraremos muchas y variadas respuestas que siempre pueden facilitar el trabajo a pie de aula de los profesores. También podemos acercarnos a la opinión de nuestros alumnos, la cual, sin ser la de unos expertos, puede resultarnos de gran utilidad, sobre todo en lo que tiene de flexibilidad, de adaptabilidad a los casos concretos, a los alumnos concretos. Son ellos los que a menudo nos hacen ver el desfase que hay entre nuestro deseo de hacerles hablar y las necesidades reales que ellos tienen. A menudo cometemos dos errores bien intencionados, pero errores al fin, que dificultan el proceso de adquisición de la lengua meta. Estos errores son de distinto signo: por un lado, nos empeñamos en hacer repetir formas o estructuras descontextualizadas, porque sabemos que el español tiene un sistema verbal, por ejemplo, muy complicado; por otro, nos empeñamos también en que los alumnos *hablen* sin haberles suministrado o sin haber repetido suficientemente esas formas o estructuras, porque estamos preocupados más por el resultado, la comunicación, que por el proceso. Como profesora que se enfrenta a diario a grupos de alumnos muy variados, sé que hay una regla universal que ellos mismos practican mucho: no se puede generalizar; lo que vale para este grupo, no encaja en aquel otro.

1.1. De la enseñanza formal y el análisis de necesidades

No obstante, hay algunos hechos que sí suelen tener validez universal: hay personas para las que la enseñanza formal es fundamental, sin ella se sienten perdidas. Hay otras que aprenden de oído, que necesitan el contacto directo con los *nativos* y esos dos tipos de alumnos pueden, suelen coincidir en la misma aula. ¿Cómo conseguir que tanto unos como otros saquen el máximo provecho de ese tiempo dedicado a estudiar, a aprender? Tengamos en cuenta lo que dice Ellis (1990:196): *La docencia fracasa a menudo en proporcionar la adquisición de nuevas estructuras lingüísticas; sin embargo, la docencia permite un aprendizaje más rápido y con unos resultados de competencia más altos.*

Es curioso comprobar, como lo vengo haciendo desde hace muchísimos años, que los alumnos dicen, a su manera, exactamente lo mismo cuando, al principio del curso —nunca de principiantes, claro— les pregunto: *¿Por qué estáis en una clase y no en la calle, hablando con españoles?* Los alumnos suelen responder que están en una clase porque necesitan que se les suministre instrumentos para poder hablar. Después pueden añadir: *correctamente, con fluidez, mejor que ahora*, etcétera. Otras veces dicen: *He estudiado el subjuntivo pero no sé para qué sirve.*

Sin saberlo, están aludiendo a la diferencia de la que hablaba Widdowson (citado por Bachman, 1995:110), entre *la habilidad para representar la lengua como sistema (usage) y la habilidad para hacer uso real de ella (use).*

Aceptemos, pues, como punto de partida, la utilidad de la enseñanza formal y la existencia de, al menos, dos objetivos conscientes o inconscientes en nuestros alumnos: la adquisición de una gramática de referencia o una competencia gramatical y su puesta en práctica, entendida ésta como la posibilidad de hacer cosas con ella (Austin:1990).

Dell Hymes, comentado por Karmele Rotaetxe (1990:138), nos habla de la competencia comunicativa diciendo que comprende la gramatical, pero también actitudes, valores y motivaciones referentes a la lengua. Ya en 1967 el mismo Hymes había fijado los componentes de un acto de comunicación y que él consideró incluidos en la palabra inglesa SPEAKING: *Settings:* marco; *Participants:* participantes; *Ends:* finalidades; *Acts:* actos (verbales); *Keys:* claves, tonos en el estilo verbal; *Instrumentalities:* instrumentos (canal de comunicación, variedad elegida, etc.); *Norms:* normas (de interacción y de conducta); *Gender:* género (poema, carta comercial, etc.). Es decir: que no basta con enseñar reglas gramaticales, hay que incluir *otras cosas.*

Sin embargo, a pesar de que hoy día la mayoría de los profesores buscamos algo más que la repetición mecánica de formas mediante *drills*, no podemos negar la necesidad de interiorizar la forma, la estructura, para que más adelante esto.permita al propio alumno la transferencia, la autocorrección. No hacerlo sería ir contra ese principio del que he hablado más arriba: escuchar al alumno y tener en cuenta sus necesidades, las cuales pueden ser, por ejemplo: dificultades con las frases de relativo; no si se construyen con indicativo o subjuntivo, sino cuándo usar *que, el cual, quien* y su colocación en la frase, caso típico de los estudiantes nórdicos, entre otros.

Nuestros alumnos son conscientes de sus fallos de expresión; lo que suelen argüir para su silencio es eso de: *Me faltan las palabras.* Cuando *ya tienen más palabras,* se dan cuenta de que son incapaces de poner dos pronombres seguidos, no dan una con las dichosas preposiciones o no ven por qué hay tantos sinónimos de partículas como *si, aunque,* etcétera. Claro que se comunican, pero aspiran a algo más. Las preguntas que plantean en clase, no siempre proceden de una segmentación de la lengua en la que subyace un concepto estructuralista de la misma. Cuando están en España, ven la televisión y oyen cosas, hablan con españoles que usan otras expresiones, leen y comprueban que *si* aparece en pasado con indicativo. Todos estos ejemplos me los han suministrado alumnos que pasan en España un mínimo de seis meses y que se quejan de una especie de miedo por parte de los profesores a explicitar la gramática. (Claro que también he oído quejas del signo contrario).

Para el tema que nos ocupa, es decir, qué incluye el concepto de gramática, nos parece apropiado el esquema presentado por Lyle Bachman (1990:110):

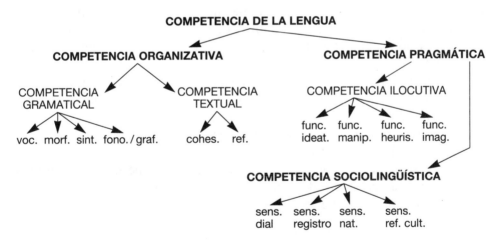

Como vemos, nuestros alumnos deben alcanzar el conocimiento incluido en la competencia gramatical: vocabulario, morfología, sintaxis, fonología y grafía. Asimismo deben conseguir poner en práctica los principios que tienen en cuenta las marcas de cohesión del discurso oral para hacerlo adecuado al contexto.

2. De la competencia gramatical al espíritu lúdico

Si hemos llegado a ponernos de acuerdo en el concepto de competencia gramatical, vayamos ahora a la forma en que queremos conseguir esa interiorización y su traslado o transferencia a situaciones reales.

Sigamos refiriéndonos al esquema anterior. En él se habla de la competencia pragmática. Dentro de ella, nos quedaremos con la función imaginativa que, como dice Bachman (1990:115):

> *(...) nos permite crear o ampliar nuestro propio entorno con propósitos humorísticos o estéticos. (...) Los ejemplos son los chistes, las fantasías, las metáforas y otros usos figurativos del lenguaje, y también asistir al teatro o ver películas o leer novelas o poesía por placer.*

Sin embargo, no están excluidas las otras funciones (ideativa, manipulativa, heurística) porque, cuando las realizamos y lo hacemos con humor, de forma divertida, también estamos poniendo en práctica la función imaginativa.

En este punto de mis reflexiones quiero detenerme y lanzar una pregunta que, supongo, todos nos hemos hecho alguna vez: ¿por qué todo el mundo, o mucha gente al menos, se sabe de memoria anuncios, frases y muletillas de determinados cómicos o programas de televisión? O lo que me inquieta más: ¿cómo es que los chavales se saben los nombres de los jugadores de los... yo qué sé cuántos equipos de fútbol o baloncesto?, ¿Cómo es que saben todo lo que saben sobre el deporte y no aprenden otras cosas?

De nuevo, los expertos me darían respuestas muy sabias. Yo me quedo con las que me dio mi hijo hace tiempo: *Es que es divertido saberlo y, además, puedes hablar de ello con los amigos.* Yo añadiría que él, con su paga, se compraba el «Marca», contribuyendo así a reforzar la información repetitiva que nos invade constantemente.

Como soy muy aficionada a sacar las lecciones que la vida cotidiana nos da y aplicarlas, dentro de lo posible, a mis clases, de este hecho casero y familiar obtuve la siguiente información:

- que si algo te interesa, pones todo tu esfuerzo en aprenderlo;
- que si ese algo te permite expresarte, comunicarte con tu entorno, te interesará aún más;
- que algo se interioriza si se repite, aunque no siempre de la misma manera;
- que si la presentación de ese algo es divertida, contribuirá a despertar el interés.

Otro hecho que últimamente me ha llamado la atención, aunque venga ocurriendo hace años, es ver cómo en exposiciones del tipo de Juvenalia, los niños y jóvenes aprenden o ponen en práctica lo que saben, a través de actividades lúdicas.

Entonces, ¿por qué no incluir este tipo de actividades de manera sistemática, secuenciada, con objetivos claros en nuestro plan de trabajo? Pero no sólo de manera aislada. Ya dije en otra parte[1] que el espíritu lúdico no es algo que se refiera sólo a una serie de actividades, sino que debe impregnar la actitud de profesores y alumnos, ya que en ese clima, el alumno se siente desinhibido para expresarse y para dar rienda suelta a su capacidad creativa.

Para ello, vamos a tratar de analizar cuáles son las actitudes que favorecen ese espíritu lúdico, si realmente con él se beneficia el trabajo y la asimilación de información o si se considera una pérdida de tiempo. Es cierto que hay alumnos que pueden considerar el juego como un engaño: *Hemos pagado para aprender y esto no es serio, sólo es un juego,* etcétera. Puede que los alumnos tengan su punto de razón si captan que las actividades no tienen un objetivo, aparte, claro está, el de pasar unos minutos de manera distendida. Para empezar, hagamos que la clase misma sea el gran juego que puede llegar a ser: expresarse y comprender otra lengua con su cultura, sin olvidar, sin negar las dificultades de las que está llena nuestra tarea.

¿Conocéis el juego de ordenador que se llama *Prince*? Hablo de él porque durante un tiempo estuvo presente en mi casa. Es como cualquier aventura, como cualquier cuento: hay un objetivo que alcanzar, unas dificultades que vencer. En el proceso se recibe una serie de ayudas y cada vez que te equivocas, vuelves a empezar. Las tareas se repiten y a medida que avanzas descubres elementos nuevos del juego y descubres también que tus habilidades han mejorado en las etapas anteriores. ¿No os parece una descripción del proceso de nuestras clases?

Convirtamos, pues, nuestra clase en un gran juego: tendrá una meta global y otras parciales. Tendrá unas reglas que cumplir, habrá que superar pruebas, hacer esfuerzos para pasar al *nivel* siguiente —entendida esta palabra como la usan en los juegos de ordenador—; los errores nos obligarán unas veces a volver a empezar, otras, nos permitirán seguir avanzando porque tenemos ayudas; en cualquier caso, de ellos aprenderemos, son algo útil que permitirá otras actividades de refuerzo, de recuerdo y, lo más importante, cuando estemos ante la misma dificultad —porque en la lengua, como en el juego, las dificultades se repiten—, seremos capaces de evitarla si hemos asimilado en qué consistió nuestro fallo la vez anterior.

---

[1] Moreno, C. (1996), «Actividades lúdicas en la enseñanza del español», *Frecuencia- L*, 3: Madrid, Edinumen, pp. 28-35.

Este espíritu no se consigue de buenas a primeras; hay alumnos que creen que una clase tiene que ser una cosa seria, casi aburrida, para poder aprender más. Afortunadamente éstos no son los más habituales. No obstante, ganemos la complicidad de nuestros alumnos, usemos actividades lúdicas también para romper el hielo, digamos eso que a mí me gusta repetir: *Sólo puedes equivocarte*. A veces ellos me devuelven mi frase cuando soy yo la que tiene miedo a repetir algo difícil. En definitiva, el espíritu lúdico favorece:

- el contacto entre alumnos nuevos / la ruptura del hielo, en una palabra, la cooperación social, una de las estrategias indirectas de aprendizaje y comunicación;
- la confianza y la desinhibición para expresarse al bajar el nivel de ansiedad, que es otra de esas estrategias;
- la capacidad creativa;
- la puesta en práctica, repetición y refuerzo de lo aprendido, estrategias cognitivas tan necesarias como las afectivas.

3. De las actividades lúdicas

Antes de entrar directamente en la propuesta de algunas actividades, quisiera hablar de sus características:

- No se trata de actividades comunicativas propiamente dichas, porque en ellas el foco está en la comunicación; en cambio, en las actividades que nos ocupan, el foco está en la lengua y los alumnos deben ser conscientes de que están jugando con la gramática, el vocabulario, etcétera;
- Las colocaríamos en ese paso previo que hoy día se ha dado en llamar *actividades posibilitadoras* o *tareas de aprendizaje*;
- Deben responder a un análisis de necesidades lingüísticas, integradas en las funciones comunicativas que se pretenden desarrollar;
- Deben tener un objetivo claro que los alumnos distingan perfectamente de un juego para pasar el rato;
- Deben permitir la repetición para conseguir la automatización del uso; eso sí, de una forma amena y que tenga una obvia transferencia a la comunicación real;
- Para que su efectividad sea completa, debemos hablar con nuestros alumnos de qué les han parecido, si les han resultado útiles y por qué; el beneficio será doble: nosotros veremos si ha sido una forma rentable y eficaz de trabajar, pudiendo mejorarla con sus sugerencias y ellos seguirán conscientes del proceso de aprendizaje. Por otra parte, hablar sobre cómo se aprende es algo que, según mi experiencia, a los alumnos les encanta y ahí sí que tenemos comunicación real.

Volviendo al esquema de L. Bachman, vemos que nuestras actividades tendrán que ir dirigidas a la morfología, la sintaxis, el vocabulario, la fonología y la grafía; tenemos que poner en marcha las funciones de la lengua apoyándonos fundamentalmente en la imaginativa.

Con estas premisas y basándome, como siempre, en las necesidades —a veces carencias— surgidas en clase, a menudo me pongo a crear actividades que sirvan de manera divertida y eficaz para la interiorización de la gramática o del vocabulario. Es decir, tengo en cuenta el segundo de los esquemas de Brumfit[2] (1979):

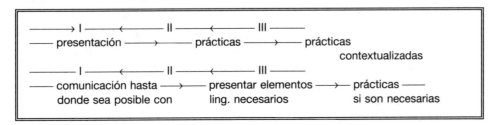

A continuación van algunas de ellas, con la causa que las motivó:

4. Actividades

4.1. Los relativos y su compañía

> *Un amigo es una persona que me gusta hablar con.*
> *Un amigo es alguien quien te escucha y te comprende.*
> *La amistad une personas quienes trabajan en mismo trabajo.*
> *Esto es que quiero decir./Que me gusta más es...*

Aquí está la prueba de que los alumnos tienen problemas para elegir el relativo apropiado y de que, además, les resulta difícil acompañarlo de preposiciones.

A la pregunta *cuándo se usa* **que** *y cuándo* **el que,** podemos contestar usando las reglas que nos dan los libros o algún truco que pase a formar parte, después, de un juego o actividad lúdica.

Nos referimos a cosas y queremos decir algo sobre ellas; tenemos una palabra; después un relativo, **que** y después un verbo, **palabra + que + verbo** (frase).

---

[2] Este esquema representa dos tipos de clase. El primero hace referencia a una clase de estructura más tradicional: se presenta el material y se practica después. El segundo, aplicable en mi opinión sólo a alumnos con ciertos conocimientos, sugiere la práctica controlada a partir de las necesidades surgidas de la imposibilidad para la comunicación. Es en este punto donde encajan las actividades lúdicas.

Hablamos de la misma palabra sin decirla; necesitamos un relativo: **el que, la que;** después, un verbo, **el que / la que... + verbo** (frase).
Ejemplos:

> *El ordenador* **que** *tengo ya es viejo.*
> **El que** *tengo yo es nuevo.*

Antes de empezar el juego o actividad habremos ejemplificado para ver si se ha comprendido.

Todas estas actividades han sido probadas con alumnos de nivel medio y superior, que están en España seis meses o un año académico.

Esta primera está basada en la observación de lo que hacen los niños cuando compiten para ver quién tiene lo mejor. También nos puede servir para introducir los posesivos: **el mío / la mía**, etcétera.

Procedimiento.

Se divide la clase en dos equipos. Se decide si se va a hablar de personas o de cosas. Se dan unos minutos, para que los equipos hagan frases. Una o dos personas de cada equipo serán los jueces o árbitros de la *contienda* y tomarán nota de si se cumplen las reglas o no, para descalificar a las personas que las incumplan. Se echa a suertes qué equipo empieza. Una persona del equipo A dice una frase que contenga la estructura **artículo determinado + palabra + que + verbo** (frase).

Otra persona del equipo B tiene que contestar con la estructura **el que / la que ... + verbo** (frase), atendiendo a la concordancia. Si no puede hacerla y pide ayuda, se la penaliza. Yo lo hago con la pérdida de turno.
Ejemplos aparecidos en clase:

Los libros **que** *usamos son aburridos.*	**Los que** *usamos nosotros, no.*
Los españoles **que** *conozco no hablan inglés.*	**Los que** *conozco yo, sí.*
La comida **que** *más me gusta es la mexicana.*	**La que** *me gusta a mí es la china.*
La película **que** *me recomendaste me gustó mucho.*	**La que** *tú me recomendaste a mí, no me gustó.*
Todavía tengo la bicicleta **que** *me regalaron a los diez años.*	**La que** *me regalaron a mí, se rompió.*

Obsérvense las implicaciones de este juego. Nos sirve para demostrar también la necesidad del sujeto o la duplicación del pronombre indirecto.

4.1.1. Variante. *A veces se puede generalizar.*

Hablamos de personas y vamos a generalizar, para evitarnos la aparición del subjuntivo. Enseñamos a nuestros alumnos que para generalizar se usa la estructura **el que / la que / quien + verbo, + verbo** (frase): *el que estudia, saca buenas notas.*

Procedemos de la misma manera que antes en cuanto a la división de la clase. Hay que elegir temas, uno por cada persona del equipo. Una persona del equipo A dice a la correspondiente del equipo B: *Viajes.* Y su compañero tiene que contestar algo así: ***los que*** *viajan mucho, aprenden mucho.* Se puede complicar la cosa teniendo que emplear una vez singular y la siguiente plural.

4.1.2. Variante. *Corrígeme si me equivoco.*

Ahora se trata de corregir una información. Una de las estructuras que podemos usar, la cual, por otra parte, tiene equivalente en todas las lenguas europeas, es (No) **ser** + sujeto + **el que / quien + verbo + sino** + información *verdadera.* También podemos jugar con la frase simple: **ser** + sujeto + **el que / quien + verbo.**

La forma de actuación es siempre la misma. Esta vez podemos pedir a nuestros alumnos que preparen una serie de noticias reales o imaginarias para sus compañeros del otro grupo. Después de unos minutos, y tras saber qué equipo empieza, se lanza la primera información: *Los españoles descubrieron América.* Corrección: *No fueron los españoles los que la descubrieron, sino los vikingos.* O bien: *Los que la descubrieron fueron los vikingos.*

Para que la práctica sea aún más *real*, podemos pedir que introduzcan un elemento de cortesía que suavice la corrección: *Perdona, pero creo que...; ¿Estás seguro? A mí me parece que...* Puedo asegurar que esta actividad nos ha hecho pasar momentos divertidos y ha resultado de una eficacia grandísima.

4.1.3. Variante. *Corrígeme otra vez.*

Como he dicho más arriba, otro de los problemas con las frases de relativo se encuentra en la colocación de las preposiciones. Esta vez trabajamos en parejas. El trabajo inicial consiste en hacer una lista de verbos con su preposición: Podemos servirnos de las redacciones ya corregidas, que, para mí, son una fuente de información inapreciable. He aquí algunos ejemplos de verbos + preposición que suelen aparecer en esas redacciones: *hablar sobre; vivir con; referirse a; poner en; ir a;* etcétera.

Cada pareja hace una frase *equivocada*, que luego tendrá que corregir

la pareja del equipo contrario, según este esquema: **preposición + el que / la que**... + frase. Si no saben, la primera pareja tendrá que dar la solución.
Ejemplos:

> *Ese es un tema que no me gusta hablar sobre.*
> *Fue un viaje que lo pasamos muy bien en.*
> *La familia que vivo con es muy amable.*

Después, y si se considera oportuno, de nuevo en parejas, hay que escribir una historia incorporando el mayor número posible de frases corregidas. Gana la pareja que más frases incluya, dentro de un contexto, claro.

Yo no era muy consciente de este problema hasta encontrarme con estudiantes suecos, daneses, nórdicos, en definitiva. Por eso, esta actividad puede parecer innecesaria a profesores que tengan alumnos de otras nacionalidades. Los ejemplos que he aportado proceden, como digo, de las redacciones de mis alumnos.

4.2. A veces somos imposibles

De nuevo os presento algo surgido en la clase a raíz de la exposición de un alumno sobre la ecología y el medio ambiente. Su pregunta a la clase fue (os doy la versión corregida): —*¿Os imagináis cómo actuaríamos si viviéramos eternamente?* —*Pero eso es imposible.* —Contestó alguien. —*Pero, ¿y si llegara un día?*

Estábamos ante un ejercicio precioso de situaciones (condiciones) irreales o imposibles. Yo capté el mensaje y lo incorporé a mis clases bajo el nombre de: *¿Qué pasaría si...?* Después he visto que Gianni Rodari ya había sugerido lo mismo en su maravilloso libro: *La gramática de la fantasía.* ¿Será tan parecido enseñar lenguas a extranjeros y enseñar a los niños?

Procedimiento.

La clase dividida en equipos o pequeños grupos, no más de cuatro. Se establece el turno de participación y el tiempo del que se dispone para reaccionar. Se nombran uno o dos secretarios que acompañan al profesor para tomar nota del tiempo y las faltas. Por supuesto, las faltas pueden proceder también del equipo que presenta la situación imposible. Por ejemplo: *¿Qué pasaría si te tocara la lotería?* Ésta no vale porque no es imposible, también se puede decir: *¿Qué pasará si te toca la lotería?*

A continuación cada equipo prepara una lista de situaciones imposibles que se presenta a los equipos contrarios. Éstos tienen que reaccionar en el tiempo establecido y sin hacer faltas, que se penalizan. Gana el equipo que acumule más puntos y menos penalizaciones.

Ejemplos:

> *¿Qué pasaría si el mar se secara?*
> *¿Cómo reaccionarías si te volvieras hombre / mujer?*
> *¿Qué pasaría si desapareciera el subjuntivo?*[3].

4.3. *Cuando sufras, piensa en mí* o **qué hacer en situaciones imprevistas.**

Sin duda conocéis esta canción que canta Luz Casal[4] y sin duda también la habéis utilizado en clase para practicar el subjuntivo. Aquí os presento una idea surgida a partir de ella. Después de escuchar, comprender, incluso cantar la canción, pregunté: *¿Qué hace Luz Casal en esta canción?* —*Da consejos,* fue la respuesta en la que todos estuvieron de acuerdo.

Vamos, pues, a convertirnos nosotros en consejeros a la manera de la cantante. Por supuesto, hay que añadir un elemento curioso, extraño, divertido, sea en la situación, sea en el consejo.

Procedimiento.

La estructura que vamos a incluir es: **cuando** + **presente** de **subjuntivo** + fórmulas para aconsejar: **imperativo**; **deber** + infinitivo; **tener que / hay que** + infinitivo.

De nuevo se divide la clase en grupos o parejas, se establecen el tiempo y las penalizaciones. Esta vez también necesitamos un jurado de tres personas que no juegan. Se piensa en situaciones y se prepara un consejo para salir de ellas.

La primera pareja, o primer grupo, presenta la situación; los contrarios tienen que dar un consejo apropiado y divertido. Hay turno de réplica y se presenta la solución propia. El jurado discute sobre cuál es mejor, anota y al final emite su veredicto.

---

[3] La misma idea aparece en *Avance* (1996:225).
[4] Para los que no conozcan la letra de esta canción, ahí va:

> *Si tienes un hondo penar,*
> *piensa en mí.*
> *Si tienes ganas de llorar,*
> *piensa en mí.*
> *Ya ves que venero tu párvula boca,*
> *que siendo tan niña me enseñó a pecar.*
> *Piensa en mí cuando sufras;*
> *cuando llores, también piensa en mí.*
> *Cuando quieras, quítame la vida,*
> *no la quiero para nada,*
> *para nada me sirve sin ti.*

Ejemplos:

> *Cuando no tengas dinero,...*
> *Cuando tus amigos se pongan pesados, ...*
> *Cuando la profesora esté de mal humor, ...*
> *Cuando el frigorífico esté vacío, ...*

4.3.1. Variante. *Cuando las situaciones se repiten.*

Si queremos afianzar el contraste entre la costumbre: **cuando** + presente de indicativo y la idea de futuro: **cuando** + presente de subjuntivo, podríamos incluir una frase de cada estructura. El profesor hace tantos papelitos como parejas haya; en cada papel escribe: *consejos* o *costumbres*; de este modo se juega con el elemento sorpresa para los que tienen que contestar.

4.4. No lo repitas

Vamos ahora con los pronombres. Se trata de que la aparición del pronombre venga exigida por el contexto y de que el alumno capte esa exigencia. Yo siempre recurro a la comparación con su lengua materna si sé que en ella también existen los pronombres.

Procedimiento.

Toda la clase en círculo. Cada uno tiene que decir una frase al compañero de enfrente o de al lado, éste tiene que contestar sin repetir la palabra clave por la que se le pregunta; en su lugar tiene que aparecer un pronombre. La primera vez podemos nosotros escribir las frases en papelitos que los alumnos eligen al azar.
Ejemplos:

> *¿Alguien ha visto mi libro?*
> *Lo tiene Hans.* (Si se contesta *Está en la mesa*, la persona queda descalificada).
> *Oye, ¿tú no tenías una bicicleta?*
> *Sí, pero me la han robado.*
> *¿Alguien sabe dónde está mi cuaderno?*
> *Sí, claro, se lo prestaste a Ankie.*

Obviamente, antes de jugar a esto, habremos explicado la necesidad de usar un pronombre o dos. Incluso podemos poner en la pizarra, a la vista de todos, una lista con los verbos que pueden llevar dos pronombres: *decir; explicar; contar; prestar; regalar;* etcétera.

Y hasta aquí mis sugerencias sobre cómo jugar con la gramática. Espero que, si decidís ponerlas en práctica, os resulten divertidas y eficaces.

5. En resumen

De lo dicho hasta aquí quisiera destacar los siguientes puntos:

- Lo más importante es que tengamos en cuenta las características de los alumnos individuales y en grupo. Eso nos ayudará a elegir el tipo de actividad y a no desechar lo que no ha servido con este grupo ni tampoco aplicar sistemáticamente lo que con aquel otro sí ha tenido éxito;
- Escuchemos lo que nuestros alumnos tienen que decir, para hacer con ellos un análisis de necesidades que puede ir cambiando a lo largo del curso;
- Aceptemos la enseñanza formal en lo que tiene de positivo: acelera el desarrollo de habilidades; dentro de esta idea nuestras tareas de aprendizaje encajan perfectamente, pero démosles una forma divertida, porque, en definitiva, a todos nos gusta aprender y es mucho más agradable hacerlo entre sonrisas. ¿qué os parece esta nueva versión del refrán: *La letra con risas entra*?

Bibliografía

BOROBIO, V. (1992), *Ele 1 y 2,* Madrid, SM.

DOMÍNGUEZ, P.; BAZO, P., y HERRERA, J. (1991), *Actividades comunicativas,* Madrid, Edelsa.

GONZÁLEZ SAINZ, T. (1994), *Para jugar. Juegos comunicativos,* Madrid, SM.

JULIEN, P. (1988), *Activités ludiques,* París, Clé International.

MIQUEL, L. y SANS, N. (1992), *De dos en dos,* Madrid, Difusión.

MIQUEL, L. y SANS, N. (1992), *Rápido,* Barcelona, Difusión.

MORENO, C., y TUTS, M. (1992), *Curso de perfeccionamiento,*Madrid, SGEL.

MORENO, C.; MORENO,V., y ZURITA, P. (1996), *Avance,* Madrid, SGEL.

PALENCIA, R. (1990), *Te toca a ti. 50 juegos para la práctica comunicativa de la lengua y cultura españolas,* Madrid, Servicios de Difusión del Español, Dirección General de Cooperación Cultural, Ministerio de Cultura.

REBOULLET, J. y FRÈCHE, J. J. (1979), *À comme...* París, Hachette.

RODARI, G. (1977), *Gramática de la fantasía,* Barcelona, Avance.

ROMERO, M. V. (1991), La enseñanza del vocabulario, *Actas de las III Jornadas Internacionales del español como lengua extranjera,* Madrid, Ministerio de Cultura, Dirección General de Cooperación Cultural, Servicio de Difusión de la Lengua.

SÁNCHEZ BENITO, J., y SANZ OBERBERGER, C. (1993), *Jugando en español, Actividades interactivas para la clase de español,* Berlín, Langenscheidt.

SILES ARTÉS, J. (1993), *Historias para conversar,* Madrid, SGEL.

VV.AA. (1995), *Abanico,* Barcelona, Difusión.

VION, R. (1992), *La communication verbale. Analyse des interactions,* París, Hachette.

WISS, F. (1973), *Jeux et activités communicatives dans la classe de langue,* París, Hachette.

Juegos para practicar la escritura

Carmen Arnal y Araceli Ruiz de Garibay

Si esto nos lo dijeran a nosotros, es probable que reaccionáramos de la misma manera que estos estudiantes de E/LE.

Todos sabemos que escribir no sólo no es fácil, sino que es una actividad compleja incluso en nuestra propia lengua. Escuchar y hablar son competencias que se adquieren de forma natural; escribir, en cambio, al igual que leer, es algo que aprendemos una vez que *dominamos* el lenguaje hablado.

La tarea de escribir no resulta fácil porque lleva implícita una serie de dificultades:

- De carácter lingüístico: el lenguaje escrito no es igual que el lenguaje oral. En ocasiones puede ser más elaborado, como es el caso de una carta, o más simple, por ejemplo, un telegrama; pero para utilizarlo, siempre será necesario aprender una serie reglas.

49

- De carácter cognitivo: creación de frases, organización en párrafos, distribución del discurso; en suma, cómo organizar ideas sobre un papel.
- De carácter comunicativo: falta de interacción inmediata entre emisor y receptor.

A estas dificultades generales con las que todos nos encontramos, los estudiantes de E/LE ven cómo se añade su desconocimiento o falta de dominio de las estructuras lingüísticas (gramática, vocabulario y exponentes funcionales), y el hecho de tener que aprender todas las destrezas al mismo tiempo. Y, por si esto fuera poco, el contexto en el que se desarrolla el aprendizaje, el aula, propicia la carencia de un receptor y de un motivo claro para escribir.

Con todos estos problemas, no es extraño que todos hayamos oído decir alguna vez que escribir es aburrido, duro, silencioso, que no es comunicativo, que es un acto individual, que es artificial dentro de la clase, que supone mucho trabajo tanto para los estudiantes como para los profesores..., que es para deberes y que, encima, el resultado final está condenado al rojo.

¿Es posible hacer algo que presenta tantas dificultades? Pues, a pesar de todo, creemos que sí y, es más, consideramos que desde el nivel inicial escribir puede ser una de las actividades más divertidas y satisfactorias que se pueden hacer en clase, tanto para los estudiantes como para los profesores.

Para ello tendremos que desterrar esa lista interminable de *tópicos,* habrá que ver qué supone la comunicación escrita, deberemos situarla en relación con el resto de las destrezas y habremos de buscar soluciones a las dificultades mediante todas las estrategias que estén a nuestra disposición. Una de estas estrategias son los juegos, que pueden y deben desempeñar un importante papel en el proceso de aprendizaje.

1. La comunicación escrita

— Qué se ha considerado y qué se considera hoy la comunicación escrita en la enseñanza de E/LE.

En una aproximación tradicional a la enseñanza de E/LE, la práctica de la escritura dentro del aula se contemplaba como una pieza fundamental del rompecabezas. Se tenía en cuenta el **qué** y el **cómo**, es decir, el mensaje y el código, entendiendo este último como un conjunto de reglas gramaticales y sintácticas graduadas según niveles de dificultad. Con mucha frecuencia se olvidaba el **quién**, el **a quién** y el **porqué**.

Más tarde, el auge del llamado enfoque comunicativo dio primacía a la comunicación oral basada en exponentes nocional-funcionales, pasando a ser la comunicación escrita algo olvidado e incluso denostado.

En ambas tendencias, anotar frases, rellenar huecos, responder por escrito de forma mecánica o poner en orden elementos de una frase, eran consideradas muchas veces prácticas de escritura. Y lo que en realidad son prácticas escritas, cartas, mensajes, postales..., eran tareas casi inexistentes o para realizar como deberes al margen del horario escolar.

Hoy la situación ha cambiado: se ha puesto la escritura, como actividad comunicativa que es, en relación con el resto de las destrezas de la lengua, se han establecido sus rasgos específicos comparándola con el resto de las destrezas, se han analizado los elementos que la conforman y se han recopilado los diferentes tipos de escritos.

— La comunicación escrita y la comunicación oral.

Escribir y hablar se caracterizan por ser destrezas expresivas, frente a escuchar-entender y leer, que son destrezas comprensivas o interpretativas.

Las dos primeras, aun teniendo esa característica común de actividades de producción, presentan rasgos que las diferencian sustancialmente:

En el caso de la expresión oral, la inmediatez, espontaneidad, interacción y retroalimentación entre emisor y receptor son los elementos que la definen. Por el contrario, la expresión escrita es mediata y reflexiva, carece de retroalimentación y la interacción se produce a medio o largo plazo.

A esto se suma que al hablar nos ayudamos de gestos, de sonidos onomatopéyicos, es decir, del paralenguaje, del que no disponemos al comunicarnos por escrito.

Hay también una diferencia en el código: las reglas y convencionalismos del lenguaje varían entre una y otra. Cuando hablamos, solemos expresarnos con frases cortas y a menudo incompletas, y cuando escribimos, lo hacemos con frases más elaboradas.

Pronunciación y entonación, en la comunicación oral, y ortografía y puntuación en la comunicación escrita, son otros elementos diferenciales.

— Elementos de la comunicación.

En cualquier caso, tanto en la expresión oral como en la escrita, para que se produzca la comunicación necesitamos: un emisor, un receptor, un mensaje y un código para transmitirlo. Si esto lo planteáramos como interrogantes, necesitaríamos dar respuesta a todas las preguntas que hemos señalado al comienzo de este artículo:

- ¿**Quién** se comunica?
- ¿**A quién** se dirige?

- ¿**Qué** comunica?
- ¿**Por qué** se produce la comunicación?
- ¿**Cómo** se establece dicha comunicación?

Estas preguntas y el contexto en el que tienen lugar hacen que la expresión escrita no se produzca como un hecho aislado, sino que surja como fruto de una interacción o como respuesta a otra u otras destrezas. Por ejemplo, si estamos en un debate, tomamos notas para no olvidar aspectos a los que queremos responder en nuestra intervención; si leemos un anuncio en el periódico, en el que ofrecen un empleo y estamos interesados, respondemos enviando una carta y nuestro currículum si así lo solicitan.

Si en la vida real todo hecho comunicativo se produce como respuesta a otro previo y tiene a su vez como consecuencia otro acto de comunicación, en el aula también se tiene que dar esa integración. Lo mismo ocurre con los interrogantes antes planteados: en el marco de la clase también debemos contar con ellos y darles respuesta.

— **Productos de la comunicación escrita.**

Teniendo en cuenta la diversidad de elementos que confluyen en la comunicación escrita, los tipos de escritos que de su combinación pueden generarse son también muy variados, tanto en la vida real como dentro del aula.

Así, podremos escribir: cartas formales e informales, anuncios, folletos, noticias, artículos de opinión, entrevistas, notas o recados, instrucciones, currículos, postales, felicitaciones, impresos, solicitudes, telegramas, narraciones, descripciones, exposiciones, resúmenes, argumentaciones, diarios, escritos de carácter periodístico...

Todos estos escritos se pueden clasificar atendiendo a dos criterios: escritos para *resolver problemas,* que se corresponden con la vida real, es decir, *actividades lingüísticas propias de la comunicación escrita*, tales como mensajes, postales, notas, cartas, etcétera; y escritos para *aprender a escribir*, que los convertimos en *estrategias de aprendizaje*, tales como resúmenes, composiciones, cuentos,...

Los juegos son una de las estrategias que podemos utilizar para llevar a cabo con los estudiantes prácticas de estos tipos de escritos, dándoles un sentido dentro del aula.

2. El papel de los juegos en la expresión escrita

Los juegos pueden proporcionar a los estudiantes una práctica comunicativa natural con objetivos más amplios que los estrictamente lingüísticos.

Por esta razón deben estar incluidos en cualquier programa de enseñanza de una lengua extranjera.

En la práctica de la escritura dentro del aula nos sirven para conseguir diversos objetivos:

— Desde el punto de vista del hecho de escribir:

- Tener qué decir. El entorno nos proporcionará los *temas* y las *situaciones* para los actos de comunicación dentro de la clase. De este modo, los contextos más inmediatos en los que nos movemos diariamente (la familia y los amigos, el trabajo, las actividades de tiempo libre, el dinero, la salud...); la realidad sociocultural, económica, política y geográfica de España y del mundo hispánico; los temas que hoy más nos preocupan (el paro, el medio ambiente, los derechos humanos...) y aquéllos que nunca pasan de moda (los conflictos generacionales, los típicos tópicos, el amor y el desamor...) serán los contenidos sobre los que versarán nuestros juegos. En suma, marcos de referencia que apelen a la experiencia personal de los estudiantes y que hagan que se encienda la bombilla, evitando el *no sé qué decir,* el *tengo la mente tan en blanco como el papel que tengo delante.* Pero, a veces, no somos conscientes de la información adquirida a través de nuestra propia experiencia, por lo que será necesario que el profesor utilice estrategias para desarrollar la creatividad y la imaginación; por ejemplo, *lluvias de ideas.*
- Tener un porqué, es decir, tener un motivo para escribir; una razón, un objetivo alcanzable, factible a corto plazo. El juego plantea una situación que lleva a la necesidad de escribir.
- Proporcionar un receptor al escritor. Un destinatario real o ficticio, pero un destinatario al fin y al cabo. Los compañeros, el profesor o personas de fuera de la clase pasarán a ser lectores, receptores del mensaje, facilitando de esta forma la interacción y permitiendo que el *feedback* resulte más real e inmediato.
- Facilitar la integración de destrezas.

— Desde el punto de vista de la dinámica de la clase:

- Proporcionar diversión. Cuando un estudiante se divierte, está generalmente más motivado para el aprendizaje.
- Eliminar las tareas mecánicas y de repetición.
- Evitar el *síndrome deberes*; es decir, evitar que los deberes y su posterior corrección por parte del profesor sean el fin último de la comunicación escrita. Con esto no queremos decir que no se pueda pedir a los estudiantes que realicen tareas de escritura fuera del aula, pero el fin último de las mismas nunca debe ser visto por el estudiante como un mero trabajo escolar.

- Hacer de puente entre el mundo real y la clase, transfiriendo el primero a la segunda.
- Motivar a los estudiantes para que escriban, y, no sólo dentro del aula, sino también fuera de ella. Hacer que, dentro de ese *espacio seguro* que es el aula, pierdan el miedo al error, primando el objetivo comunicativo frente a la corrección.

— Desde el punto de vista del aprendizaje:

- Permitir que los estudiantes hagan descubrimientos por su cuenta y de forma autónoma. Hacer que adquieran la costumbre del uso del diccionario.
- Proporcionar mayor concentración en la tarea que llevan a cabo facilitándoles unos objetivos claros que deben alcanzar.
- Hacer que los estudiantes tomen conciencia de lo que ellos pueden hacer con un idioma extranjero, hacer que "descubran" su capacidad creativa.
- Presentar, reforzar o consolidar los conocimientos lingüísticos que el estudiante ya posee. Los juegos para escribir, en algunos casos, se pueden emplear como elemento introductorio de estructuras gramaticales, nocional-funcionales o de vocabulario; en otros, como práctica de las mismas. En este último caso, el profesor deberá haber trabajado con anterioridad las estructuras lingüísticas que se vayan a emplear.
- Adquirir fluidez y corrección.

3. El profesor, la clase y los juegos de escritura

A la hora de elegir o realizar un juego de escritura, se han de tener en cuenta los elementos que intervendrán en el mismo: el aula, el grupo y el profesor.

— El aula y los recursos técnicos.

El entorno en el que se desarrolle la actividad va a desempeñar un papel primordial. Las limitaciones o posibilidades del espacio nunca se deben perder de vista, ya que pueden distorsionar el juego o impedir que se alcancen los objetivos propuestos. Así, cuando se vaya a hacer un juego, hay que preguntarse: *¿Dispongo del espacio suficiente?; ¿necesito modificar la disposición del mobiliario en el aula?, ¿puedo hacerlo?; ¿tengo un tablón de anuncios? Si no, ¿puedo utilizar la pizarra como tal?; ¿puedo utilizar las paredes como elemento nemotécnico?; ¿cuento con cassette, proyector, vídeo, ordenador, etcétera?...*

— El grupo.

No todos los grupos, aunque tengan el mismo nivel de competencia lingüística, son iguales, por lo que juegos que han dado un alto rendimiento en un grupo pueden ser un auténtico fracaso en otro. Las actitudes y características del grupo e incluso de uno de sus componentes pueden condicionar la puesta en práctica o el resultado de un juego.

A la hora de elegir un juego se tendrá en cuenta fundamentalmente su aportación al proceso de aprendizaje, su adecuación a los conocimientos del grupo, su mecánica, su duración y la edad de los estudiantes. Por ejemplo, no se podrá plantear un juego de larga duración cuya utilidad no esté muy clara para ellos. Si, al finalizar, los alumnos no sienten que pueden hacer algo que antes no podían, es muy probable que en el siguiente juego que se plantee los alumnos se rebelen o se muestren totalmente pasivos. Lo mismo sucedería si se planteara un juego para una práctica libre y los estudiantes carecieran de los conocimientos necesarios para llevarlo a cabo.

— El profesor en el juego.

El profesor, en los juegos para practicar la escritura, al igual que en el resto de ellos, representa múltiples papeles:

El **organizador**. Deberá prever qué estructuras gramaticales y funcionales, qué léxico y qué convencionalismos y reglas son necesarios para el desarrollo de cada juego, de manera que sean conocidos y utilizados por los estudiantes con la suficiente competencia como para que su desconocimiento o escaso dominio no dificulten o impidan el desarrollo de la actividad.

El **informador**. Los juegos requieren un desarrollo sin interrupciones. Es necesario que, antes de comenzar el juego propiamente dicho, los estudiantes sepan lo que tienen que hacer en cuanto a la mecánica de la actividad se refiere. Así, el profesor habrá explicado de forma breve y clara las reglas de la actividad y habrá hecho una prueba para comprobar que se ha entendido el funcionamiento.

El **negociador**. Llegará a un acuerdo con el grupo en aquellas facetas del juego que sean susceptibles de negociar; por ejemplo, cómo formar parejas o subgrupos, qué técnicas de trabajo se pueden seguir, etcétera.

El **asesor**. A lo largo del desarrollo de la actividad ayudará a solventar las dificultades que se les van planteando a los estudiantes y que no sean capaces de resolver.

El **observador**. Permite que su puesto en clase sea ocupado por los estudiantes, pasando a ser un mero observador. Incluso puede representar el rol de estudiante, desempeñando de esta forma el papel de **actor**.

El **motivador**. Al inicio de la actividad o cuando ésta entre en declive, siempre que no sea por agotamiento de la misma, proporcionará los estímulos necesarios para que los alumnos tengan un punto de partida.

El **mediador**. Cuando surjan conflictos por falta de cooperación en el grupo, por exceso de competitividad o por la imposibilidad de alcanzar el objetivo común, el profesor reorientará la actividad de tal forma que cree el clima propicio para llegar al objetivo.

El **evaluador**. Aunque es necesario corregir, también es fundamental y prioritario, en el caso de las actividades comunicativas, otorgar un papel estelar a la espontaneidad y a la fluidez. La capacidad de hacerse entender al transmitir información tendrá cierta prioridad sobre la corrección, por lo que no hay que sentirse obligado a corregir cada error que los estudiantes cometan en sus escritos. Y cuando se haga, además de reseñar los errores, se pondrán de manifiesto los aspectos positivos del escrito.

A medida que aumente el nivel de competencia de los estudiantes, se hará hincapié en: mayor respeto a las normas gramaticales y morfosintácticas, mayor empleo de la subordinación y de conectores, menor presencia de coloquialismos, mayor grado de formalidad en el registro, especial cuidado en la lógica y organización del discurso...

Es conveniente crear un código común para la corrección de los textos escritos; variar frecuentemente los tipos de juegos; utilizar juegos con dinámicas sencillas o conocidas en los niveles iniciales, para no dificultar la consecución del objetivo; y, por último, no utilizar siempre papel blanco, sino emplear papeles de colores y con diferentes formatos.

4. Tipos de juegos

— ¿Cómo deben ser los juegos?

Existe una gran cantidad y variedad de juegos que pueden ser empleados para practicar la escritura. Estos juegos se pueden clasificar en función de la técnica que emplean, del objetivo que persiguen, del soporte que utilizan, de la organización del juego,... Sin embargo, y con independencia del tipo de juego que sea, siempre deben contar con, al menos, los siguientes ingredientes:

* creatividad
* conexión con la experiencia personal
* finalidad
* interés
* diversión
* reglas

Se deben articular mediante tareas, cooperativas más que competitivas, para la consecución de un objetivo esencialmente comunicativo, aunque en ocasiones pueda ser de carácter lingüístico, y nunca se debe perder de vista el proceso de aprendizaje.

— **¿Cómo los podemos clasificar?**

Se pueden efectuar múltiples clasificaciones, según se atienda a uno u otro criterio.

A) Según el nivel de competencia lingüística

— Para nivel inicial/elemental.
— Para niveles medios.
— Para niveles avanzados.
— Para nivel superior.

B) Según el tipo de escrito

— Actividades lingüísticas propias de la comunicación escrita.
— Estrategias de aprendizaje.

C) Según la etapa del proceso de aprendizaje

— Para presentación.
— Para práctica controlada.
— Para práctica libre.

D) Según el objetivo de aprendizaje

— Para presentación, refuerzo o consolidación de estructuras gramaticales.
— Para presentación, refuerzo o consolidación de vocabulario.
— Para presentación, refuerzo o consolidación de exponentes funcionales.
— Para presentación, refuerzo o consolidación de convencionalismos y reglas lingüísticas propias de la comunicación escrita.

E) Según el estímulo

— A partir de textos.
— A partir de imágenes.
— A partir de sonidos.
— A partir de música.
— A partir de representaciones (mímica).
— A partir de frases.
— A partir de palabras.
— A partir de parámetros.
— A partir de diapositivas.
— A partir de modelos.
— A partir de tareas de comprensión auditiva.
— A partir de dibujos, ilustraciones o fotografías.

F) Según el modelo de aproximación a la información o a la comunicación

— Inductivo.
— Deductivo.
— De análisis.
— De síntesis.

G) Según la técnica

— De vacío de información: con transferencia de información voluntaria unidireccional o bidireccional, con transferencia de información por averiguación o con transferencia de información voluntaria multidireccional.
— De asociación: con emparejamiento de idénticos o con emparejamiento por un único elemento coincidente.
— De intercambio y recopilación.
— De reunión o agrupación con movimiento.
— De orden.
— De receptor y contexto.
— Juegos de cartas.
— Juegos de mesa.
— Juegos de lógica.
— Lluvia de ideas.

H) Según la dinámica

— Role play.
— Dramatizaciones.
— Simulaciones.

I) Según la organización dentro de una clase

— Todo el grupo (escribiendo en cadena o eligiendo un secretario).
— En grupos reducidos (escribiendo en cadena o eligiendo un secretario).
— En parejas (escribiendo ambos o mediante la elección de un secretario).
— De forma individual.

J) Según las destrezas que se integren

— Expresión oral y expresión escrita.
— Comprensión escrita y expresión escrita.
— Comprensión oral y expresión escrita.
— Comprensión y expresión oral y expresión escrita.
— Comprensión escrita, expresión oral y expresión escrita.
— Integración de las cuatro destrezas.

K) Según la duración prevista

— De corta duración.
— De media duración.
— De larga duración.

Estas clasificaciones pueden servir de ayuda para idear el juego; si, al plantearlo, tenemos en cuenta los criterios de clasificación, habremos definido las bases del mismo.

5. Cómo elaborar juegos

— Planteamiento de preparación.

Para elaborar un juego, en primer lugar debemos plantearnos el nivel de competencia que poseen los estudiantes, los objetivos que perseguimos y el tipo de comunicación escrita que queremos que se establezca; los objetivos de aprendizaje a nivel gramatical, a nivel léxico y funcional, así como los convencionalismos y reglas propias de la comunicación escrita que deseamos trabajar. Más tarde pensaremos cuántos alumnos tenemos, qué material necesitamos, qué técnica emplearemos, etcétera.

La forma más clara de organizar toda esta información consiste en hacer una ficha de actividad, esquemática en lo que se refiere a las características del juego: con un vistazo sabremos de qué trata; pero detallada en cuanto a su desarrollo: con su lectura podremos ponerlo en práctica sin dificultad.

— Elaboración de la ficha de actividad.

Como modelo, con la primera actividad que presentamos, incluimos una ficha de actividad. No es nada nuevo; en muchos libros de inglés y en alguno de español podréis encontrar cosas similares y adaptarlas a vuestro gusto. Lo fundamental es elegir un modelo y seguir un método.

Es útil anotar en la ficha las estructuras básicas necesarias para la práctica de la actividad, así como dejar un espacio para la valoración y las notas; seguro que cada vez que se haga, surgirán nuevas ideas.

Además de este modelo de actividad, que incluye una ficha completa con las especificaciones y el desarrollo, presentamos también una serie de actividades en las que sólo explicamos de forma escueta cómo llevar la actividad a la práctica.

— Características de las actividades.

Hay que tener en cuenta que todas las actividades son modificables, adaptables, flexibles, que modificando sus objetivos de aprendizaje pueden

59

ser de nivel inicial o superior, que si se modifica la técnica empleada, se tiene una nueva actividad, si se cambia el soporte, otra... No somos expertas en matemáticas, pero... las combinaciones, variaciones y permutaciones son... las que queramos que sean.

6. Juegos y sugerencias para practicar la escritura

Juego desarrollado

Actividad núm. ......

El anuncio de vino *El Riojano*

Campo semántico: Identificación personal.
Etapa de aprendizaje: Presentación/Práctica controlada.
Objetivos de aprendizaje: **Gramaticales**: Verbos en presente de indicativo.

Funcionales:	Formas de presentación e identificación.
Léxico:	Descripción: aspecto físico y carácter.
Convencionalismos:	Estructura de una carta, formas de encabezamiento y de despedida.

Nivel: Inicial/elemental.
Destrezas: Comprensión escrita, expresión escrita, expresión oral.
Tipo de escrito: Carta de respuesta de carácter formal.
Técnica: Transferencia de información voluntaria bidireccional. Simulación de receptor.
Sistema de trabajo: 1ª fase: grupo completo. 2ª fase: en parejas, en subgrupos si el grupo es numeroso o de forma individual. 3ª fase: grupo completo.
Duración aproximada: 60 minutos.
Material necesario: anuncio, fotos, modelo de carta, lápiz y papel. En dos hojas (A y B) para parejas y en una hoja con información desordenada para individual.
En relación con: Unidad ...... del libro del Alumno, pág. .../Actividad núm. ...

Estructuras y vocabulario necesario:
— Verbos en presente: *llamarse, apellidarse, ser, estar, tener, llevar, vivir, trabajar, medir, pesar, aparentar, parecer/parecerse, querer, de-*

sear, enviar, mandar.

— *Me dedico a; creo que/a mí me parece que; suelo hacer...; me gusta/n.*

— Sustantivos y adjetivos para presentarse (*nombre, apellidos, edad, profesión...*), hablar del aspecto físico (*apariencia general, pelo, rasgos de la cara...*), del carácter y de las costumbres y aficiones.

— Convencionalismos: *A la atención de, Referencia, Muy señores míos, Les envío esta carta para, Atentamente le saluda...*

Valoración y notas: ...

Práctica y desarrollo de la actividad

1.ª fase:

1. El profesor introduce la actividad explicando la mecánica y los objetivos: se trata de responder a un anuncio, escribiendo una carta a partir de un modelo y posteriormente, de participar en el proceso de selección de los candidatos.

Entrega y leen el anuncio aparecido en un periódico en el que solicitan una familia o un grupo de amigos (máximo cinco personas y mínimo dos) para un espacio publicitario en TV, de la empresa de vino El Riojano. En el anuncio se pide que envíen una carta en la que presenten y describan a cada uno de los miembros del grupo y que se adjunte una fotografía. El profesor resuelve las dudas de vocabulario y les anima a participar.

2. El profesor divide la clase en parejas y entrega a cada miembro una hoja con fragmentos diferentes de la carta modelo, para que entre ambos la reconstruyan. Una vez reconstruida, un voluntario lee su carta ordenada, explicando dónde ha colocado el membrete, la fecha, el destinatario, etcétera., y los demás muestran su acuerdo o desacuerdo. A partir de la carta ordenada se revisan entre todos las estructuras señaladas en la ficha y se resuelven las dudas.

3. A continuación, se ponen encima de la mesa (si es en las paredes, se hace previamente) una serie de fotos. Deben asociar la carta que acaban de leer con la foto de la familia o grupo de amigos que la ha escrito. Si el profesor lo considera necesario, pueden describir a las personas que aparecen en el resto de las fotos.

2.ª fase:

4. Dependiendo del número de estudiantes y de las características del grupo, la escritura de la carta de respuesta al anuncio se puede llevar a cabo de forma individual, en parejas o en subgrupos; para hacer la presentación y descripción se pueden utilizar fotos de revistas o una foto real (si el profesor dispone de una cámara instantánea, puede sacar una foto del grupo).

3.ª fase:

5. Después de escribir las cartas, las leen para realizar entre todos el proceso de selección. El profesor, para que adopten la postura de la empresa de selección, plantea una serie de preguntas del tipo: ¿Cómo deben ser las personas que protagonicen el anuncio? ¿Jóvenes o mayores? ¿Delgadas o gordas?, para que entre todo el grupo se decida a quién seleccionaría la empresa y por qué.

6. Después se intercambian las cartas entre los alumnos o entre los grupos establecidos y se corrigen con los códigos previamente establecidos.

Ideas y sugerencias para nuevos juegos

Se incluyen ideas que no precisan de soporte por la dificultad de incluir el mismo.

1. **De celebración.** Relaciones sociales; práctica libre; presente/imperfecto de subjuntivo; formas de invitación y expresión de deseo; fórmulas de felicitación, agradecimiento…; cartas formales e informales; nivel medio; comprensión y expresión escrita; receptor y contexto; individual; sin material; 50-60 minutos.

Cumpleaños, boda, bautizo, aniversario de boda, inauguración de una casa, reunión de antiguos compañeros de clase, fiesta de disfraces de carnaval, cotillón de Nochevieja… Los estudiantes eligen un motivo y escriben una carta a su compañero de la izquierda invitándole. Después, responden a la carta que han recibido, aceptando, rechazando, agradeciendo, disculpándose, etc., pero sin decir a qué les han invitado. Ponen todas las cartas desordenadas en la pizarra o en un panel e intentan emparejarlas.

2. **El retrato robot.** Identificación personal; práctica libre; presente de indicativo; verbos, adjetivos y sustantivos para descripción de personas; anuncio; nivel inicial; expresión y compresión escrita y expresión oral; asociación; en grupo; hojas iguales con el título **Se busca** y el contorno de la cara; 30 minutos.

Se trata de que cada uno haga una descripción de sí mismo sin poner su nombre y sin decir toda la verdad, incluyendo alguna *mentira*: pueden cambiar el color de su pelo, o el de sus ojos, o su edad… Se las entregan al profesor, quien las coloca por las paredes de la clase. Tienen que adivinar a quién se describe en cada una y qué mentiras cuenta.

3. **El anuncio de trabajo de tus sueños.** Trabajo y ocupación; práctica libre; oraciones impersonales, pasiva refleja; expresión de la impersonalidad; estudios y ocupación; nivel medio o avanzado; expresión escrita y oral; anuncio y currículum; role play; en grupo e individual; sin material; para seis estudiantes, 90 minutos.
Entre los estudiantes o por grupos escriben (con un secretario) el anuncio de trabajo de sus sueños. Después, cada estudiante escribirá un currículum para contestar al anuncio, modificando su personalidad o asumiendo una nueva de forma que sea un candidato inmejorable para ese puesto. Se leen los currículos y se selecciona al mejor candidato.

4. **Un cuadro de Arcimboldo.** Identificación personal; práctica libre; *ser/estar, haber, tener, parecer, semejar, verse...*; partes de la cara y alimentos; descripción/caricatura; nivel superior; expresión oral y escrita, comprensión oral; transferencia de información voluntaria multidireccional; individual y en grupo; material: foto de una pintura de Arcimboldo; 40 minutos.
Arcimboldo, pintor italiano del siglo XVI, pintaba las figuras humanas mediante vegetales, frutos, crustáceos, peces... Los estudiantes, de forma individual o por parejas, deben hacer lo mismo con un personaje famoso, pero de forma escrita, como si fuera una caricatura. Se lo leen al resto de la clase y adivina, adivinanza.

5. **El banquete de boda.** Comidas y bebidas; práctica libre; presente de indicativo; expresión de gustos y preferencias; listas; nivel elemental; expresión escrita y oral; role play; en grupo; sin material, aunque se puede dar una lista; 15-20 minutos.
Novio, novia, padres del novio, padres de la novia, amigos, familiares... ¿Qué quieres ser? Cada estudiante elige a uno de estos personajes y escribe una lista con los platos que le gustaría comer en la boda. Discuten hasta llegar a un acuerdo, escriben la lista final, se ponen en contacto con el restaurante y comunican el menú seleccionado.

6. **Vaya lío de vida.** Identificación personal; práctica semicontrolada; pasados (imperfecto /indefinido); expresión de la secuencia temporal; léxico genérico; nivel elemental medio/alto; biografía; comprensión y expresión escrita; transferencia de información por averiguación; grupos de seis personas e individual; material: biografía con vacíos de información (seis hojas diferentes); 60 minutos.

Divididos en grupos de seis, cada uno de los estudiantes tiene un fragmento de la vida de una persona y un papelito en el que se indica el carácter —*narcisista, gorrón, vago, celoso...*— y el tipo de vida de ese personaje —*aburrida, emocionante, peligrosa, triste, divertida...*—. Deben conseguir la información moviéndose por la clase y preguntando a sus compañeros. Escriben después la biografía, con los datos obtenidos y con lo que ellos se inventen para adaptarla al tipo de vida del personaje. Finalmente, la leen y ven las diferencias en función del carácter y del tipo de vida que llevó el personaje.

7. **Reporteros de la Revista *El Cotilleo Nacional.*** Ocio y tiempo libre; práctica libre; pasados, forma pasiva, oraciones temporales, causales, consecutivas y adversativas; expresión de tiempo, causa, consecuencia y adversación; léxico de cine; nivel medio, avanzado o superior; artículo periodístico; expresión escrita y oral; transferencia de información por averiguación y role play; parejas, individual y en grupo; tantas tarjetas como estudiantes haya en el grupo. Si es numeroso, hacer subgrupos; 90 minutos.

Los estudiantes son reporteros de una revista y han cubierto el reportaje de un festival de cine. Cada uno tiene información sobre uno de los personajes famosos que han desfilado por el festival. Disponen de cinco minutos para pensar las preguntas que van a hacer a sus compañeros para obtener la mayor información posible y ser ellos quienes redacten el artículo que publicará la revista. Una vez que se hayan entrevistado con sus compañeros y obtenido la información, redactarán el artículo de forma individual y el redactor-jefe o consejo de redacción (el profesor o la clase) decidirá cuál se publica y por qué. El profesor tiene que preparar una tarjeta para cada alumno, en la que aparezca la información sobre su personaje famoso.

8. **Describiendo con los sentidos.** Campo semántico adaptable; práctica libre; presente o imperfecto de indicativo; descripciones según aspecto, tamaño, forma, colores, olores...; léxico sin determinar; nivel avanzado o superior; descripción; expresión escrita y expresión oral; intercambio y recopilación; individual y en grupo; material: tantas tarjetas como estudiantes haya en el grupo; 90 minutos.

El profesor plantea hacer una descripción. El grupo elige una situación, un paisaje, un lugar, una comida, cualquier cosa que sea conocida por todos. Después, cada estudiante o por parejas sacan de una bolsa una tarjeta en la que aparece uno de los sentidos (olfato, vista...). Lo que hayan elegido entre todos han de describirlo a través del sentido que les haya tocado. Luego, cada estudiante o pareja irá leyendo a la clase su descripción. Mientras, los demás toman notas sobre aquello que su sentido no les permitía percibir, de manera que entre todos puedan realizar una descripción completa.

9. **La rebelión de los objetos.** Ciudad; práctica libre; *estar* + gerundio, pretérito perfecto, verbos de cambio y transformación; descripción y narración; léxico de ciudad; nivel medio o avanzado; expresión escrita y expresión oral; recopilación; en grupos; material: tarjetas de información orientativa; 40 minutos.

La clase se divide en grupos. Los estudiantes viven en diferentes ciudades imaginarias que se han rebelado. Cada grupo tiene una ficha preparada por el profesor, con información sobre cosas que están sucediendo. Por ejemplo, cuando los peatones van a cruzar los semáforos, éstos se ponen en rojo. Las puertas de los vagones del metro se abren en marcha y se cierran cuando está parado... Cada grupo debe hacer una narración sobre las cosas tan inverosímiles que están sucediendo en su ciudad.

10. **¡Que soy la estrella!** Artes escénicas; práctica libre; subjuntivo; expresión de deseo, exigencias y condiciones; léxico cinematográfico; nivel avanzado o superior; contrato; expresión oral y escrita; role play; individual y en grupo; tarjetas de roles; 60 minutos.

Se preparan las tarjetas de roles: *productor, director, guionista, protagonista masculino, protagonista femenina...* En ellas se especifican algunas de las condiciones para la negociación (tamaño y lugar del nombre en el cartel anunciador, cambios de reparto, disposición a no transigir con los caprichitos de las estrellas...); ellos pueden añadir más. Primero el profesor explica la estructura y la terminología más habitual de un contrato. Los estudiantes van a negociar, para lo que deben plantear deseos, exigencias, establecer plazos y poner condiciones. Se les recuerda que van a necesitar hacer uso del subjuntivo. Se distribuyen las tarjetas y se les deja tiempo para preparar su rol. Después comienza la negociación. Cuando ésta termine, deben escribir entre todos las cláusulas del contrato de cada uno de los participantes en la película.

Bibliografía

ACKERT, P. (1986), *Please Write*, New Jersey, Prentice Hall.
ALBURQUERQUE, R. y otros (1990), *En el aula de inglés*, Madrid, Longman.
ALONSO, R. y otros (1993), *Didáctica del español como lengua extranjera*, Madrid, Fundación Actilibre.

ARNAL, C., y RUIZ DE GARIBAY, A. (1996), *Escribe en español*, Madrid, SGEL.

BENÍTEZ, P. y otros (1994), *Didáctica del español como lengua extranjera*, Madrid, Fundación Actilibre.

BYRNE, D. (1988), *Teaching Writing Skills*, Londres, Longman.

BYRNE, D., y RIXON, S. (1979), *Communication Games*, Londres, NFER Nelson.

CARRIER, M. (1980), *Take 5*, Londres, Nelson.

FABRA, M. L. (1994), *Técnicas de grupo para la cooperación*, Barcelona, Ediciones CEAC.

GRUBER, D., y DUNN, V. (1987), *Writing Games*, Hong Kong, Oxford University Press.

HADFIELD, C., y HADFIELD, J. (1990), *Writing Games*, Hong Kong, Nelson.

INSTITUTO CERVANTES (1994), *La enseñanza del español como lengua extranjera. Plan Curricular del Instituto Cervantes*, Madrid, Instituto Cervantes.

LEE, W. R. (1980), *Lenguaje Teaching Games and Contests*, Oxford, Oxford University Press.

LEFKOWITZ, N. (1987), *From Process to Product*, New Jersey, Prentice Hall.

LLOBERA, M. y otros (1995), *Competencia comunicativa*, Madrid, Edelsa.

MORENO, V. (1994), *El deseo de escribir*, Pamplona, Pamiela.

PINCAS, A. (1982), *Teaching English Writing*, Basingstoke, Macmillman.

PORTER, G. (1987), *Role Play*, Hong Kong, Oxford University Press.

SILES, J. L. (1992), *Didáctica del Español para extranjeros*, Madrid, Publicaciones E.U. Pablo Montesinos, Universidad Complutense de Madrid.

WOOLCOTT, L. (1992), *Take Your Pick*, Hong Kong, Nelson.

Ejercicios de léxico coloquial

José Siles Artés
Universidad Complutense de Madrid

1.   Introducción

El empeño de aprender una lengua en la edad adulta constituye sin duda una tarea ardua y, sin embargo, qué fácil resulta para la edad infantil.

En el segundo caso la lengua se asimila de manera espontánea, inconsciente, y se puede llegar a hablarla con total soltura y sin el menor acento extranjero.

En el primer caso cada palabra y cada frase hay que aprenderla y practicarla conscientemente, con esfuerzo y con constancia, para alcanzar una competencia aceptable.

Cierto método de ruso argumentaba en su prólogo que aprender este idioma era una empresa sumamente fácil, y el razonamiento era el siguiente: si el ruso lo hablaban perfectamente equis millones de niños, muchos de ellos tan tiernos que aún no sabían leer y escribir, cómo a usted, estudiante adulto, se le iba a resistir dicha lengua.

Dejándose llevar por aquella aparente evidencia, uno se ponía a estudiar ruso y, más pronto que tarde, llegaba a la conclusión de que todos los niños rusos eran unos superdotados…

Al fin y al cabo, muy ilustres lingüistas de principios de siglo abogaron por un método que perseguía el asimilar la lengua extranjera sin intervención de la materna, de la cual se prescindía totalmente —en teoría al menos— para que no estorbase el aprendizaje de la primera. Era el Método Directo, que, hasta el comienzo de la Segunda Guerra Mundial, por lo menos, fue considerado el más inteligente de los métodos.

Atrás quedó aquella técnica, aunque sin duda algún rasgo positivo suyo pervive en el aula de idioma moderno.

Hoy día, en general, se considera que el aprendizaje de una lengua extranjera por parte del alumno requiere un tratamiento distinto y aparte del aprendizaje de la lengua materna.

Dicha especifidad entraña para el estudiante «sudor y lágrimas», pero también un interés que no se experimenta con la adquisición de la primera lengua.

Con la segunda lengua se redescubre el mundo y se aprende a llamar cada cosa de manera distinta. El profesor experimentado sabe muy bien el goce que este proceso supone para el alumno.

En una primera etapa de su aprendizaje, el estudiante estará interesado en las palabras más básicas, en las que le hacen falta para desenvolverse en las situaciones más corrientes de la vida diaria. Afortunadamente, de un tiempo a esta parte, los libros para la enseñanza de idiomas modernos están estructurados en torno a aquellas necesidades, para lo que suministran dosificadamente una lengua de *supervivencia*.

En una segunda etapa se nota en el aula que, tras haber adquirido unos fundamentos y una cierta soltura en el manejo de la lengua, el alumno tiende a plantear su propia curiosidad sobre la lengua que desea aprender. No tan condicionado ya por la materia que le impone el libro, preguntará por el significado de palabras que responden a sus propios intereses e inclinaciones.

En esta creciente demanda del alumno es fácil observar que el lenguaje coloquial tiene una aceptación especial. El profesor que se percata de este interés y sabe encauzarlo y satisfacerlo tiene mucho ganado en el camino del éxito.

El espectro del lenguaje coloquial es muy amplio, por lo que a continuación sólo se van a comentar aquí unos cuantos registros que resaltan por sus rasgos pintorescos o humorísticos en el marco de la lengua española.

Para empezar, recordemos que en nuestra lengua se aplican nombres de animales a las personas para señalar en éstas cualidades o virtudes. En este uso encontramos nombres de mamíferos. De alguien demasiado dócil decimos que es un *borrego*, y a alguien muy perspicaz le llamamos *lince*.

Otro grupo de apelativos lo forman nombres de aves, como muestran el empleo de *gallina* para indicar cobardía, y el de *cotorra* para calificar a una persona de excesiva locuacidad.

Salimos de aquel terreno para entrar en el de la metáfora cuando hablamos del *ojo* del huracán o del *hueso* del albaricoque.

Metáforas inspiradas en el cuerpo humano son igualmente el *diente* del ajo y la *mano* de pintura. Ciertas partes del cuerpo humano, a su vez, tienen sinónimos cuya connotación puede estar dentro del lenguaje familiar, como en *pescuezo* por cuello, o *dátiles* por dedos. O puede ser vulgar, como en *quesos* por pies, no habiendo, sin embargo, duda que éste es un sinónimo lleno de gracia e imaginación que no deja nunca de divertir a una clase de español.

Del vulgarismo se pasa al *tabú*, aunque la frontera es muy tenue y frecuentemente de orden subjetivo. Se puede sentir reparo o pudor en enseñar estas palabras, pero están ahí por algo y tienen un perfil propio dentro del sistema de la lengua. No está mal que los alumnos las aprendan, haciéndoles notar los contextos sociales en que deben evitarse. Por muy divertido que sea para un extranjero emplear palabras como *mear* y *pedo*, también le puede crear rechazo su empleo en situaciones de respetabilidad.

Otro grupo de sinónimos del español con mucha gracia es el concerniente a ciertas profesiones. En ocasiones nos referimos a los médicos con el ridiculizante término de *matasanos*, y a los oficinistas con el de *chupatintas*.

Arriba hemos señalado el vulgarismo *quesos* para designar los pies de una persona, donde claramente se capta la asociación de olor entre el producto alimenticio derivado de la leche y el típico de unos pies no lavados. Es un tipo de asociación que, aunque tenga un origen remoto, puede encontrarse en otras palabras coloquiales, como la *dolorosa* por la cuenta del restaurante o el *trancazo* por la gripe.

Para muchos estudiantes de español como lengua extranjera tienen un gran interés los apócopes, de los que los diccionarios tienden a recoger los que ya están consolidados desde hace muchos años. Hay como una prevención a prestar atención a estas simplificaciones del léxico que, por otra parte, como todo en la lengua, tienen su razón de ser y su color especial. Más abajo se da un ejercicio en que aparecen algunos apócopes de uso corriente, como el *chupe*, el *frigo* y el *profe*.

Cuando nuestro estudiante llega a familiarizarse un poco con la lengua española, empieza a encontrar omisiones que nosotros ni siquiera notamos y que damos por supersabidas. Dichas omisiones o *elipsis* no las suelen resolver los diccionarios, desgraciadamente. En lo que se refiere al español peninsular las encontramos en nombres de lugares, instituciones y corporaciones, por ejemplo. Hablamos de *El Bernabéu* (el estadio del Real Madrid), *El Prat* (el aeropuerto de Barcelona), *La Maestranza* (la plaza de toros de Sevilla), etcétera.

Las *elipsis* anteriores se refieren a nombres propios, pero no podemos pasar por alto los pertenecientes a nombres comunes.

Así ocurre cuando hablamos de viajar en *primera* (clase) o tomar una *caña* (de cerveza).

Trasladándonos ahora al plano didáctico, es fácil caer en la cuenta de que las palabras se convierten fácilmente en elementos de juego. Con la lengua materna nos divertimos resolviendo crucigramas, sopas de letras, jeroglíficos, etcétera. Estos pasatiempos pueden emplearse también para aprender lúdicamente una lengua extranjera, si bien simplificados y adaptados a las limitaciones del hablante no nativo.

Aparece aquí a continuación una serie de ejercicios que, en su mayoría, corresponden a los sucesivos comentarios hechos arriba. Son fáciles de preparar y quieren servir de estímulo para que otros profesores creen los suyos. Al final de ellos se consignan igualmente unos cuantos libros que pueden ser útiles herramientas para la preparación de actividades y ejercicios de léxico, bien entendido que en el mercado hay bastantes más[1].

2. Ejercicios de léxico coloquial

I. Seleccione la palabra adecuada (cambio semántico).

asno   borrego   león   tigre   zorro   lince   mula   ardilla

1. Tiene poca inteligencia = es un ....
2. Es demasiado obediente = es ... .
3. Es muy astuto = es ... .
4. Es muy listo = es ... .
5. Es muy perspicaz = es ... .
6. Es audaz y valiente = es ... .
7. Es cruel y sanguinario = es ... .
8. Es muy bruto = es ... .

II. Complete con la palabra adecuada (metáforas).

ojo   pie   brazo   hueso   piel

1. El .... del albaricoque.
2. La .... del albaricoque.
3. .... de la cerradura.
4. .... de la aguja.
5. .... del sillón.
6. .... de la lámpara.
7. .... del huracán.

III. Responda

1. ¿Qué es una **sudadera**?
2. ¿Qué tipo de bata es un **salto de cama**?

[1] M. RECASENS: *Cómo jugar con el lenguaje*, Barcelona: Ediciones CEAC, 1986. VV.AA., *Diccionario actual de la lengua española Vox*, Barcelona: Bibliograf, S.A., 1990. FERNANDO CORRIPIO: *Diccionario de ideas afines*, Barcelona: Herder, 1991.

3. ¿En qué se diferencia una **cazadora** de una **chaqueta**?
4. ¿Qué tipo de pantalones son unos **vaqueros**?
5. ¿Qué son unas **medias**?
6. ¿Qué tipo de prenda es un **mono**?

IV. Seleccione el vulgarismo correspondiente

queso culo moflete pata jeta pescuezo sinhueso morro napia dátil

1. Pierna = ...
2. Cuello = ...
3. Dedo = ...
4. Cara = ...
5. Mejilla = ...

5. Nariz = ...
6. Lengua = ...
7. Boca = ...
8. Pie = ...
9. Nalgas = ...

V. Coloque cada letra con su número

1. Sacamuelas
2. Matasanos
3. Picapleitos
4. Chupatintas
5. Guri
6. Dómine
7. Plumífero

a. Profesor
b. Oficinista
c. Policía
d. Médico
e. Escritor
f. Abogado
g. Dentista

1✎   2✎   3✎   4✎   5✎   6✎   7✎

VI. Dé las palabras de las que proceden los siguientes apócopes

1. Boli = ...
2. Depre = ...
3. Poli = ...
4. Profe = ...

5. Presi = ...
6. Frigo = ...
7. Chupe = ...
8. Peque = ...

VII. ¿Qué palabras se han omitido en las siguientes frases? (elipsis)

1. Una caña (... ....), por favor.
2. Se encontraron en el (............ ...) Retiro.
3. Siempre viaja en primera (...........).

4. Con el pescado tomo (............) blanco.
5. El avión aterrizó en (... ....) El Prat.
6. Me regaló una botella de (............ ...) Rioja.
7. No hay nada como un (............) habano después de comer.
8. Le tocó el (............) gordo de (... ....) Navidad.

Ejercicios-Juego (nivel elemental)

VIII. Escriba al derecho y obtendrá nueve palabras referentes al paisaje

1. OIR	4. ETNOM	7. ETNEUP
_ _ _	_ _ _ _ _	_ _ _ _ _ _
2. OGAL	5. ODARP	8. EUQSOB
_ _ _ _	_ _ _ _ _	_ _ _ _ _ _
3. ELLAV	6. ONIMAC	9. OLBEUP
_ _ _ _ _	_ _ _ _ _ _	_ _ _ _ _ _

IX. Forme nuevas palabras colocando la terminación correcta

-ero -ual -ar -oso -o -te -ada

1. Gastar	4. Jardín	7. Diferencia
Gast_	Jardin_ _ _	Diferen_ _
2. Mentira	5. Llamar	8. Mes
Mentir_ _ _	Llam_ _ _	Mens_ _ _
3. Baile	6. Parar	9. Puerta
Bail_ _	Par_ _ _	Port_ _ _

X. Forme nuevas palabras sustituyendo sucesivamente las letras dadas

BOTA	PILA	MESA
L, A, M,	A, O, T,	I, A, P,
B O _ A	P _ L A	M _ S A
B _ L A	P A L _	M _ S A
_ A L A	P A _ O	_ A S A

72

XI. Ponga las letras que faltan y obtendrá tres refranes

1. A bu_ _ hambre no hay p_ _ duro.
2. Ag_ a pasada n_ mueve mol_ _ o.
3. A m_ _ tiempo, buena ca_ _.

XII. Ponga las letras que faltan y obtendrá cuatro dichos populares

1. Más bruto que un ar_ _ o.
2. Más viejo que an_ _ r a gatas.
3. Más am _ _ go que la hiel.
4. Más amar_ _ _ o que la cera.

XIII. Complete con la vocal correcta para obtener cinco nombres de animales

1. Tiene cuernos hacia atrás y da carne y leche.
   C_bra.
2. Es gordo y sucio, pero su carne es muy buena.
   C_rdo.
3. Da carne, leche y lana.
   _veja.
4. Se come en Navidad.
   P_vo.
5. Es muy grande y pesada y da leche y carne.
   V_ca.

XIV. Complete con la consonante correcta para obtener seis nombres de objetos domésticos

m   j   t   d   v   s

1. En él nos miramos.
   Espe_o.
2. En ella dormimos.
   Ca_a.
3. Bajo ella nos lavamos.
   _ucha.
4. En ella nos sentamos.
   _illa.
5. Está muy fría por dentro.
   Ne_era.
6. Hace el café.
   Cafe_era

Bibliografía

BAIRNS, R., y STUART, R. (1986), *Working with Words*, Cambridge, Cambridge University Press.

BARBADILLO DE LA FUENTE, M. T. (1991), *La enseñanza del vocabulario*, Madrid, Publicaciones E.U. Pablo Montesino, Universidad Complutense de Madrid.

CARTER, R., y MCCARTHY, M. (1988), *Vocabulary and Language Teaching*, Londres y Nueva York, Longman.

ENCINAR, R. (1993), *Palabras, Palabras, Vocabulario Temático*, Madrid, Edelsa.

GIMÉNEZ MARTÍN, M. C., y VELILLA BARQUERO, R. (1988), *Cuadernos de ejercicios gramaticales, 4-léxico-semántico*, Barcelona, Edunsa.

MORGAN, J., y RINVOLUCRI, M. (1986), *Vocabulary*, Oxford, Oxford University Press.

PACIOS JIMÉNEZ, R. M. (1991), *Vocabulario activo e ilustrado del español*, Madrid, SGEL.

SÁNCHEZ LOBATO, J., y AGUIRRE, B. (1992), *Léxico fundamental del español*, Madrid, SGEL.

SILES ARTÉS, J. (1996), *Adquisición de léxico*, Madrid, SGEL.

SEGOVIANO, C. (1996), *La enseñanza del léxico español como lengua extranjera*, Madrid, Iberoamericana.

WALLACE, M. J. (1982), *Teaching Vocabulary*, Londres: Heinemann Educational Books.

Aprender jugando con el ordenador

PASCUAL CANTOS GÓMEZ
Universidad de Murcia

1. Introducción

El ordenador se ha convertido en un elemento indispensable de nuestro entorno, al igual que lo fue la electricidad, la máquina de escribir o el automóvil. De ahí que sea necesario considerar su papel en la enseñanza. Algunos autores ya hablan de la «cuarta revolución» en la enseñanza. Parece que nos estamos dirigiendo hacia un futuro donde los ordenadores serán utilizados en casi todas las áreas educativas. Para Seymour Papert (en Arana, 1987:15), colaborador de Piaget, la informática y el ordenador no son un instrumento más, sino una nueva y más elevada forma de educacion: «El ordenador es el Proteo de las máquinas. Su esencia está en su universalidad, su poder de estimular, ya que puede adoptar multitud de formas, servir para multitud de tareas y satisfacer multitud de preferencias» (en Leonard, 1985:9).

Es posible que desde la invención de la imprenta no nos hayamos encontrado con un medio tan revolucionario en la enseñanza, capaz de producir profundos cambios en nuestro actual sistema educativo y quizá el único medio capaz de solucionar algunos de los fallos existentes en él (Bork, 1985:11).

Aunque el uso de los ordenadores se está extendiendo, se dan muchas lagunas en la manera de utilizarlos y adaptarlos al currículo. De ahí que precisemos de: 1) más estudios e investigaciones acerca de un mejor y más eficaz uso de los ordenadores en el aula y, a su vez, 2) de un cambio de mentalidad por parte de los docentes para desarrollar nuevos planes de estudio.

Algunos consideran que con introducir la tecnología, sin más, ya están preparando al alumno para la sociedad tecnológica en la que ha de vivir. Pero, desgraciadamente, esto ni es serio ni es realista. Los profesores, padres y alumnos deberíamos empezar a comprender que el ordenador no es una panacea, sino una herramienta que debe ser utilizada con sabiduría. Un uso abusivo de la tecnología informática, sin la creación de un contexto adecuado y un estudio de los efectos que los ordenadores pueden producir, podría llegar a generar serios problemas estructurales, ambientales, psicológicos y de relación, llegando incluso a anular aspectos formativos tan importantes como el lúdico. Debemos, por lo tanto, atender más y mejor a cuestiones pedagógicas y didácticas, como educadores que somos, y dejar los detalles tecnológicos para los expertos informáticos.

El cometido del docente, en primer lugar, es definir su metodología en función del contenido que debe enseñar y del tipo de alumnos a los que se dirige. Una vez realizado este proceso, puede plantearse las estrategias y los medios de que se valdrá: ordenador, vídeo, libros, etc. Se trata, pues, de plantear unos objetivos, adecuar unos contenidos, tener en cuenta el tiempo disponible y el nivel de los alumnos, y, a partir de aquí, pasar a la utilización del ordenador, si fuera conveniente o necesario. Además, debe quedar bien claro que somos los profesores los que debemos preparar los programas educativos, al igual que hacemos con nuestras clases, apuntes, etc.

Sin lugar a dudas, uno de los más graves problemas que se plantea el profesorado es el cambio de mentalidad para afrontar el impacto de esta nueva tecnología. No debemos utilizar estos poderosos instrumentos para incrementar nuestro poder de control sobre los alumnos, porque así anularíamos uno de los más brillantes atractivos del ordenador: su utilización como medio creativo y lúdico. La creatividad y el componente lúdico están ligados a la libertad. Para conseguir este cambio es imprescindible tener bien claros los fines perseguidos con la introducción del ordenador en las distintas asignaturas del currículo.

Se precisa, por lo tanto: más investigación en el campo de la educación mediante ordenador, profundizar en el proceso general del aprendizaje y desarrollar más y mejores materiales utilizables en la enseñanza/aprendizaje mediante el ordenador. Hablar solamente de la informática en la enseñanza es para muchos autores un enfoque reduccionista. No basta con el ordenador. Hay que hermanar el uso del ordenador con otros medios, tanto de aplicaciones informáticas (sistemas hipertexto, correo electrónico, autoedición, *Internet,* etc.) como de soporte físico (vídeo interactivo, CD-ROM, sistemas de reproducción y reconocimiento de voz, sistemas multimedia, etc.). La unión de estos elementos forma un «curso» más completo, quizás el único capaz de enriquecer la enseñanza, de satisfacer las necesidades, de conocer las opiniones de otros sobre un tema concreto, experimentar, simular, etc., en pocas palabras, aprender jugando con el ordenador.

2. Enseñanza asistida por ordenador

La utilización de los ordenadores en el aula como medio se conoce con las siglas EAO *(Enseñanza Asistida por Ordenador)*. Tal uso del ordenador hace referencia a su utilización como soporte directo de una interacción educativa con el estudiante en forma de ejercicios interactivos, juegos o simulaciones (Díaz, 1987:88-89). La EAO cubre un campo muy amplio, referido a la utilización del ordenador en clase. Sin embargo, utilizaremos este término de forma restrictiva para designar las aplicaciones y los programas especializados en didáctica.

Respecto a la calidad de las aplicaciones informáticas, hay que decir que bastantes de ellas están diseñadas a imagen y semejanza de los textos escolares. En estos casos su valía es escasa, pues implican una infrautilización de los recursos del ordenador y presentan a los alumnos un subproducto tecnológico con posibilidades cercenadas. Esta realidad puede originar desencanto y rechazo posterior de otros programas más idóneos.

Una de las cualidades más sobresalientes que deben buscarse en un programa es que no se agote en sí mismo cuando se trabaja con él varias veces, sino que promueva el interés de los alumnos por ampliar las actividades, incitándoles a realizar otras experiencias y a crear otros modelos a partir, precisamente, de los ofrecidos por el ordenador. En resumen: un programa educativo debe sugerir otras actividades, ilusionar, no limitar la creatividad y conducir hacia la realización de otro tipo de prácticas o ejercicios, especialmente aquellos que sean estimulantes y divertidos para los alumnos.

3. Enseñanza de lenguas asistida por ordenador

Hasta ahora nos hemos referido sólo a la EAO en general, sin hacer alusión a su aplicación a ninguna materia o asignatura en concreto. Aunque todo lo dicho sobre la EAO es perfectamente aplicable a cualquier asignatura del currículo escolar, existen algunas diferencias respecto al uso y las características de los programas, su integración en los currículos y las tendencias o perspectivas de futuro, según sea la naturaleza de la asignatura en la que pretendamos ayudarnos del ordenador como medio.

A principios de los años 80 se llevaron a cabo diversos estudios sobre las posibilidades y repercusiones de los ordenadores en la enseñanza de lenguas modernas. A esta disciplina se la llamó ELAO *(Enseñanza de Lenguas Asistida por Ordenador)* y podría definirse como la «disciplina que estudia el uso de ordenadores, especialmente de los microordenadores, en el proceso de aprendizaje de lenguas extranjeras, así como las repercusiones que derivan de su uso» (Ruipérez, 1990:18).

Las primeras andanzas de la ELAO se remiten a los años 60. Fue en los Estados Unidos, en la Universidad de Stanford, donde se desarrolló el primer programa de ELAO para la lengua rusa. Más tarde, en 1968, en la Universidad de Nueva York, se diseñó un programa para alemán. En la década de los setenta surgieron los primeros proyectos europeos de ELAO: Universidad de Essex (con programas para el ruso), Universidad de Hull, Universidad de Aberdeen, Universidad de East Anglia, Universidad de Surrey e Ealing College of Higher Education. Pero quizá el proyecto más ambicioso fue y es, ya que aún siguen desarrollándose programas, PLATO (*Programmed Logic for Automated Teaching Operations;* Chapelle y Jamieson, 1983), iniciado en la Universidad de Illinois.

En la década de los sesenta se impusieron las teorías del psicólogo americano B. E. Skinner, aplicándose sus ideas conductistas —al menos en la enseñanza de idiomas— de la mano de la corriente estructuralista en lingüística. Eran los años en que se iniciaba la introducción del ordenador en el aula en los Estados Unidos y no cabía esperar sino que estos inicios estuviesen viciados por los mismos inconvenientes que caracterizaron a la metodología conductista. En esta primera etapa de la ELAO, el ordenador no era considerado un medio educativo auxiliar —como lo es en la actualidad—; más bien se pensaba en él como una posible alternativa a las clases «tradicionales» con profesor. Con esta filosofía nació el proyecto PLATO; de ahí que éste sea conocido tambien por *totally instructional system.* Esta idea conductista de convertir al ordenador en una «máquina docente» aún perdura en algunos profesores y sin duda está perjudicando mucho la expansión de la ELAO.

Un factor que sí favoreció la inclusión del ordenador en la enseñanza fue la opinión generalizada sobre el fracaso del sistema educativo. En este contexto pesimista se aprobó el costoso proyecto PLATO. Este proyecto tenía prevista la experimentación con todo tipo de lenguas extranjeras, tanto modernas como clásicas. Esto supuso la aparición de los primeros estudios sobre la ELAO.

En esta primera fase, y dado el gran arraigo que tuvo la psicología conductista, al alumno se le facilitaba una terminal y realizaba individualmente todos los ejercicios que el ordenador le presentaba, relegando al profesor a un segundo plano. Así, el aprendizaje se convertía en una actividad que no precisaba de la ayuda directa del profesor: bastaba con la del ordenador —método o modelo de ELAO conocido *como instructional model* (ver Phillips en British, 1987:9).

El enorme auge inicial de la ELAO se vio pronto eclipsado por un clima adverso, debido principalmente: 1) a la falta de imaginación en los ejercicios (éstos se limitaban principalmente al tipo de pregunta-respuesta), y 2) al alto coste de adquisición y mantenimiento de los ordenadores centrales. A finales de los años setenta aparecieron los primeros microordenadores: el Apple II. Su popularización vino favorecida por el bajo coste, la compatibilidad de aplicaciones y la no dependencia de ordenadores centrales. Estos microordenadores sustituyeron pronto a los grandes ordenadores en la EAO y empezaron a surgir las primeras aulas informáticas o microaulas. No obstante, estos primeros microordenadores presentaban ciertas desventajas e inconvenientes, como eran su escasa «memoria» de trabajo y su aún baja velocidad de cálculo.

La mejora de los microordenadores, a principios de los años ochenta, supuso la renuncia a los grandes ordenadores centrales. Esta tendencia fue general y se mantiene aún en la actualidad, como queda patente en el gran número de programas elaborados para microordenadores y PCs, frente a los diseñados para grandes ordenadores centrales.

La ampliación de memoria y la mejora en la velocidad de cálculo hacen que los microordenadores empiecen a ofrecer prestaciones suficientemente aceptables para ejecutar programas EAO de calidad. Y es a partir de este momento cuando se establece la ELAO como disciplina autónoma de la EAO, tanto en Estados Unidos como en Europa, sobre todo en Gran Bretaña.

La etapa actual de la ELAO en Europa se caracteriza principalmente por ser una etapa bastante novedosa en la que se intenta recuperar el tiempo perdido frente a los Estados Unidos. El retraso se ha debido básicamente: 1) a la falta de difusión, 2) al alto coste y 3) al escepticismo general existente en Europa por parte de muchos docentes frente al uso de medios informáticos en el proceso educativo. A ello ha contribuido la dificultad o imposibilidad de incorporar la lengua hablada al ordenador, siendo como es este aspecto de vital importancia en la enseñanza de lenguas modernas.

Además, la tardía inclusión de la ELAO ha tenido ciertas repercusiones negativas, como son la escasa información sobre la ELAO en general y la pobre «alfabetización» informática de docentes y discentes.

4. Tipos de programas para la ELAO

Atendiendo a su orientación, podemos clasificar los programas de ELAO en tres clases: 1) los que proponen ejercicios sobre alguna tarea que requiere comprensión y aprendizaje; son los denominados de ejercicio y práctica o ejercicios interactivos; 2) los tutoriales, que ofrecen los contenidos de alguna materia concreta, y 3) los que ofrecen simulaciones y representaciones del funcionamiento de un sistema.

Naturalmente, estos tipos de aplicaciones informáticas en la ELAO pueden presentarse combinados en un mismo programa o conjunto de programas.

4.1. Programas de «ejercicio y práctica»

Son quizá los programas más veteranos y difundidos. Mediante ejercicios tipo fichas se pide a los alumnos que contesten a preguntas seleccionadas, las cuales, por lo general, están graduadas en orden de dificultad. Dichos ejercicios suelen presentarse aleatoriamente, para evitar la repetición y el cansancio. Los programas de ejercicio y práctica ofrecen un sistema novedoso para el discente, quien, además, puede adecuar el momento y el ritmo de aprendizaje. A su vez facilitan la práctica individualizada.

Como ejemplo de ejercicios interactivos, variados y creativos tenemos *450 Ejercicios de Gramática* (Sánchez y Cantos, 1992; *prototipo para PCs no comercializado*), en donde el alumno elige los contenidos gramaticales que desea repasar o estudiar, y no tiene más que seguir las instrucciones que el programa le va indicando. La aplicación se completa con las opciones de ayuda gramatical y léxica, además de un cuadro estadístico final con los aciertos, fallos, consultas efectuadas, etc.

Dentro de esta tipología de aplicaciones existe, para la enseñanza del inglés, una gran gama de programas con ejercicios del tipo *cloze* que, además, ofrecen al docente la posibilidad de modificar los textos y/o introducir nuevos textos más adecuados para los cometidos docentes en cada momento, siendo quizá los más conocidos *Varietext* (British Council, 1990) y *Quartext* (Higgins y Johnson, 1988).

Otro programa interesante y sobre todo novedoso y muy motivador para el alumno es *Codebreaker* (British Council, 1990). Este *software* muestra al alumno frases encriptadas —sacadas de entre una base de datos— que tendrá que descifrar. El objetivo del ejercicio, de marcado contenido gramatical, pierde todo su carácter estructural para tornarse en una divertida interacción alumno-ordenador con el único fin, para el alumno, de descodificar las frases.

4.2. Programas tutoriales

Estos programas proporcionan la posibilidad de seguir un aprendizaje de forma secuenciada, ofreciendo los distintos conceptos de una materia concreta, después de facilitar la información básica correspondiente. Se pueden emplear para el aprendizaje de nuevos conceptos, aunque su utilidad más eficaz es la de reforzar lo que ya ha sido presentado previamente en clase, y es en esta variedad de aplicaciones educativas donde se sitúan los cursos o programas *multimedia*.

Su ventaja principal reside en que suministra a los alumnos información de manera gradual y progresiva, adecuada a las necesidades de aprendizaje. Suelen incorporar preguntas de verificación que permiten adelantar en la materia siempre que las respuestas sean satisfactorias.

Algunos programas tutoriales incorporan en su diseño operativo la técnica de bifurcación, consistente en dirigir automáticamente al tema correspondiente cuando el alumno no contesta de forma correcta a las preguntas de comprobación que contienen los conceptos allí explicitados. Este sistema también se activa cuando el estudiante pide ayuda para repasar una materia en concreto y vuelve después al punto en que se encontraba cuando realizó la consulta.

Los tutoriales están indicados para los discentes que necesitan ayuda complementaria en conceptos específicos, es decir, se pueden emplear como auxiliares de recuperación para quienes precisan un estímulo en su formación y para estudiantes que desean ampliar o reforzar sus conocimientos en áreas determinadas. Un buen tutorial sirve para motivar a los alumnos, pues facilita el refuerzo inmediato y positivo del aprendizaje. Es por ello que los cursos multimedia, mediante la incorporación de texto, imágenes (estática y/o en movimiento) y sonido, ofrecen técnicamente las mejores soluciones para los tutoriales. *Discatext-Interactive Language Training* (Escape, 1995), *English Plus* o *CUMBRE-Curso de Español para Extranjeros* (SGEL, de próxima aparición), por ejemplo, son claros exponentes de lo expuesto. Cualquier alumno puede trabajar con estos programas de forma completamente autónoma, ya que forman por sí solos un curso, con explicaciones gramaticales, de uso, léxicas, ejercicios, pruebas finales, cómputo de aciertos y registro puntual acerca del progreso del alumno, pudiendo contar en todo momento con la audición parcial o total de los textos.

4.3. Programas de simulación

Los programas de simulación son los que mayor interés despiertan entre alumnos y profesores. Aprovechan las excelentes condiciones del ordenador para generar gráficos y reproducen aquellos sistemas o situaciones que difícilmente podrían verse en la realidad, al menos con tanto detalle o rigor. De esta forma se pueden presentar todos los ejemplos y esquemas habituales en la clase, pero con la ventaja del soporte electrónico.

Para ilustrar mejor las simulaciones hemos elegido *London Adventure* (British Council, 1990) como un claro exponente de esta tipología de actividades. En *London Adventure,* el alumno, emplazado en pleno corazón de Londres, tendrá que comprar una serie de regalos antes de regresar a su país. Para facilitar y conocer la ubicación de los lugares y tiendas a los que tendrá que acudir, el discente comprará un mapa de metro, un callejero, pero, eso sí, utilizando para ello siempre las formas lingüísticas correctas.

5. Programas para la ELAO y su evaluación

Los programas son el alma del ordenador. Son los que verdaderamente convierten la máquina en un instrumento útil. Cuando disponemos de buenos programas podemos obtener buenos resultados; en caso contrario, el mejor y más caro soporte físico quedará relegado a funciones meramente decorativas. Por eso los usuarios, en este caso profesores y alumnos, debemos saber qué es lo que necesitamos y cómo valorarlo.

Lo mejor para conocer el nivel de calidad de las aplicaciones informáticas comercializadas y su posible adecuación a nuestras necesidades de aprendizaje es, sin duda, verlas en funcionamiento. A pesar de las posibles reticencias del vendedor, hay que conseguir tener y manejar nosotros mismos el programa, a fin de comprobar cuidadosamente cada una de sus prestaciones. La guía al final del presente apartado no es exhaustiva, pero pretendemos que se aproxime a las características que deben reunir los programas para la ELAO.

En principio no debemos valorar excesivamente la portada, pues, aunque ciertos detalles puedan ser indicativos del contenido, como todo el mundo sabe, no siempre el exterior se corresponde con el interior (al igual que ocurre con libros, revistas, artículos, películas, etc.). A veces bajo una presentación excelente encontramos un producto pobre y poco cuidado en su diseño. Por el contrario, una apariencia sobria puede indicar que sus productores han centrado su interés y recursos en los contenidos, que es lo que realmente nos importa como usuarios.

Estas consideraciones, válidas con carácter general, tienen un interés especial en el caso concreto que nos ocupa, precisamente porque el producto que se va a evaluar se destina a la formación.

5.1. Documentación

La documentación es el material escrito que acompaña al programa. Debe contener una exposición-resumen de la aplicación informática. Es deseable que presente de forma explícita los objetivos educativos que pretende cubrir y que justifican el título. Son imprescindibles las instrucciones sobre instalación y ejecución, además del índice o relación de contenidos que sirva de guía de búsqueda y referencia rápida. También es conveniente que sugiera actividades de apoyo que puedan servir de complemento a la adquisición de los conocimientos requeridos. Un buen manual debe contener una sección técnica y un listado con los códigos de errores y las orientaciones para solucionarlos, además de las especificaciones de impresora y otras observaciones que completen la documentación técnica.

5.2. Presentación en pantalla

La forma en que aparecen los conceptos, los mensajes y las actividades que se proponen son de vital importancia. Su claridad y orden de aparición, si tiene o no ilustraciones que amenicen la ejecución, y si estos elementos distraen la atención excesivamente, son decisivos para el éxito del programa.

Un capítulo importante son las instrucciones en pantalla (indicadoras de las acciones subsiguientes a la que se está realizando), así como las ayudas sobre cómo salir del programa, volver atrás, obtener información adicional, etc. Si estos mensajes están cuidados en cuanto a su redacción, momento y lugar de presentación, producirán una sensación de seguridad y confianza en los usuarios jóvenes y principiantes. Un buen diseño del conjunto de instrucciones debe contener mensajes claros y precisos de utilización para quienes ejecutan el programa por primera vez.

5.3. Motivación

Los programas educativos contienen siempre elementos amenos (gráficos, color, sonido, esquemas de juegos o propuestas de actuación lúdica, etc.), que pueden colaborar a mantener el interés y la motivación. Hay que prestar atención a todos estos ingredientes, que, si son importantes para los adultos, en los estudiantes jóvenes adquieren una importancia aún mayor.

A menudo quienes diseñan programas educativos tienen una referencia teórico-práctica del mundo de los niños, de sus intereses, preferencias, etc. En cambio, somos los maestros y profesores, quienes estamos en contacto con los alumnos día a día, los que mejor conocemos lo que más gusta, motiva y divierte a los discentes, así como todo aquello que les va a parecer excesivamente retórico, infantil, etc.

Respecto a los gráficos e ilustraciones, debemos valorar si su uso es como soporte didáctico o de carácter meramente ornamental y, por ende, de escaso interés para el aprendizaje.

En lo que se refiere al empleo del color, debemos observar si éste se emplea con gráficos, simplemente para evitar los colores habituales en pantalla, o si se administra para realzar y fijar mejor los contenidos.

Sobre el uso o no del sonido hay opiniones muy variadas. Lo que sí es cierto es que el sonsonete o musiquilla de un programa, tras ejecutar varias veces la aplicación, puede resultar molesto por tener que escucharlo una y otra vez. Por eso lo mejor es cerciorarse de que el sonido se pueda desactivar a voluntad.

Por último, están los esquemas y propuestas de juego. Éstos deben tener una base educativa, no ceñirse exclusivamente a la competencia entre compañeros ni entre alumno-ordenador. En cualquier caso deben proporcionar estímulos positivos y no contener alusiones despectivas ante los fracasos.

Por muy gracioso, incisivo o chocante que en principio pueda parecer un determinado mensaje, si ridiculiza una actuación puede generar desconfianza y frustración en los alumnos, justo todo lo contrario de lo que queremos lograr con la ELAO. Además, téngase en cuenta que los programas están hechos para ser utilizados muchas veces y con distintos tipos de alumnos.

5.4. Fiabilidad

Nos referimos a la fiabilidad interna, la relacionada con: 1) dispositivos antiescritura, 2) dispositivos que eviten que el ordenador se bloquee al pulsar una tecla indebida y provoque una situación de desazón en el alumno, quien tiende a pensar que lo ha «roto».

El grado de fiabilidad interna puede probarse fácilmente introduciendo errores deliberadamente, pulsando teclas equivocadas, contestando absurdos y observando que no pasa nada. Si en otro tipo de programas esto carece de importancia, en los destinados a la enseñanza estos aspectos deben cuidarse, porque tienen que estar hechos a prueba de niños.

5.5. Contenido de los programas

A la hora de ejecutar el programa, siguiendo fielmente las instrucciones del manual, es conveniente hacerlo acompañado de algunos alumnos. Sus opiniones y comentarios son de suma importancia, y no olvidemos que serán ellos los últimos destinatarios del programa que evaluamos. Los puntos a considerar en cuanto al contenido variarán según las características de cada área de conocimiento que ha de ser tratada, y deberán responder puntualmente a las exigencias educativas que en cada caso habrán motivado la necesidad de adquirir los programas educativos. Cumpliendo fielmente las órdenes que aparecen en pantalla, la ejecución se hará tal y como lo haría el alumno, con la salvedad de que nosotros tendremos que ver el programa al completo y conseguir familiarizarnos con su operatividad en un tiempo breve, para poder opinar con conocimiento de causa. En principio hay que valorar si el contenido corresponde adecuadamente al título o tema que se propone en la portada del programa, y si se ajusta al Plan de Estudios, tanto al oficial como al del propio centro. Tenemos que ver si los contenidos pueden cumplir los objetivos que se pretenden.

Por otro lado, hay que valorar la autonomía de uso. Si los alumnos pueden utilizar el programa por sí mismos o necesitan ayuda inicial.

Finalmente, diremos que es importante contrastar nuestra valoración acerca del programa con la de otros centros. Siempre que tengamos dudas sobre un programa, lo mejor es no comprarlo, ya que la práctica con un programa de ELAO inadecuado defrauda expectativas y cierra posibilidades con otros mejores, que sin duda los hay.

5.6. Evaluación de programas ELAO

A continuación presentamos un modelo para la evaluación de programas y aplicaciones para la ELAO —haciendo especial hincapié en algunos aspectos mencionados ya en el apartado anterior— y que puede resultar de ayuda a los docentes para valorar estas aplicaciones antes de hacer uso de las mismas en el aula (ver *tabla 1*).

I. CUESTIONES DIDÁCTICAS Y PEDAGÓGICAS	II. DISEÑO DEL PROGRAMA
I.1. Objetivos: ¿Cuáles son los objetivos del programa? ¿Están claramente definidos? ¿Pueden integrarse dentro de la programación del curso? **I.2. Contenidos temáticos:** ¿Están adecuados a la edad de los alumnos? ¿Se corresponden con las áreas de motivación de los alumnos? **I.3. Nivel lingüístico:** ¿Para qué nivel lingüístico está pensado? ¿Se adecua al nivel lingüístico de los alumnos? ¿Se adecua el nivel lingüístico de las instrucciones al de los alumnos? **I.4. Contenidos lingüísticos:** ¿Se adecuan a los objetivos del programa? ¿Se adecuan al nivel de los alumnos? ¿Qué destrezas lingüísticas se practican? **I.5. Ejercicios y/o tareas:** ¿Se adecuan a la metodología del profesor? ¿Motivan a los alumnos? ¿Qué elementos contiene para motivar? ¿Cuántas horas de clase se necesitan para realizarlos? ¿Pueden llevarse a cabo con otro medio? ¿Tiene alguna ventaja realizarlo con ordenador? ¿Cuál/es? **I.6. Modelos de uso:** ¿Es para uso individual/en grupo/con toda la clase? ¿Permite ser utilizado fuera del aula? **I.7. Materiales adicionales:** ¿Existe algún manual/libro que sirva de ayuda al profesor? ¿Existe algún libro de ejercicios/material adicional?	**II.1. Pantalla:** ¿Tiene algún efecto positivo el uso de los colores? ¿Cuáles? ¿Contiene imágenes/secuencias de vídeo? ¿Son relevantes para los objetivos del programa? **II.2. *Input*:** ¿Pide al inicio del ejercicio el nombre, fecha, curso, etc.? ¿Admite más de una respuesta como válida? ¿Acepta como correctas si las respuestas están, indistintamente, en mayúsculas y/o minúsculas? ¿Qué sucede si se omiten los signos de puntuación? ¿Qué sucede si se introduce una respuesta incoherente? ¿Qué ocurre si se pulsa una tecla de función? ¿Puede el alumno salir del programa cuando lo desee? **II.3. *Feedback*:** ¿Genera el programa cada vez que se ejecuta un orden nuevo de preguntas? ¿Están claras las instrucciones/preguntas? ¿Llama el programa al alumno por su nombre? ¿Cómo es el lenguaje que utiliza el programa para dirigirse al alumno (impersonal, amable, etc.)? **II.4. Opciones:** ¿Ofrece algún tipo de ayuda al alumno? ¿Cuáles? ¿Tiene diccionario *on line*? ¿Bilingüe/monolingüe? ¿Tiene sonido? ¿Puede desactivarse? ¿Tiene posibilidades de autor? ¿Permite grabar las sesiones para seguir en otro momento? ¿Crea algún fichero con las respuestas correctas/incorrectas? ¿Ofrece al final de la sesión algunos datos sobre los aciertos, fallos, consultas, etc.? ¿Hace algún tipo de valoración o da algún tipo de consejos al final de la sesión? ¿Exige/permite algún periférico adicional? ¿Cuál/es? ¿Está protegido el programa? ¿Cuántas copias legales permite?

Tabla 1.—*Modelo de evaluación para programas ELAO*

6. Conclusiones

Sin pretender ser exhaustivos, hemos dado un rápido repaso a las implicaciones que el ordenador tiene en el ámbito de la enseñanza actual, especialmente en la enseñanza de idiomas, además de ofrecer un esquema para la evaluación y valoración de programas para la ELAO.

Como conclusión se puede decir que hay un consenso muy general sobre la utilización del uso del ordenador en la enseñanza, siempre que se eviten rigideces y se potencie la creatividad, la variedad y el carácter lúdico de dicho uso.

Los factores que hablan más en favor de la inclusión de los ordenadores en la enseñanza son: 1) el aumento de la motivación; 2) el fomento del proceso de aprendizaje individualizado; 3) la descarga de la labor docente, ya que el ordenador es una «máquina incansable de hacer ejercicios»; 4) el *feedback* inmediato a las respuestas y/o preguntas del alumno; 5) los nuevos tipos de ejercicios que el ordenador permite crear; 6) el fácil acceso en casa/individual, así como 7) la posibilidad de conjugar en un elemento texto, imágenes, secuencias de vídeo y sonido.

Por todo ello creemos que el papel que puede desempeñar el ordenador como medio tecnológico auxiliar en la clase de idiomas puede tener una repercusión positiva en el proceso de enseñanza/aprendizaje de dicha materia por parte de los alumnos, a la vez que puede mejorar la calidad de enseñanza en estas asignaturas.

A su vez, no debemos olvidar que la utilización de los nuevos medios tecnológicos exige un esfuerzo añadido, ya que hay que explorar los materiales exhaustivamente antes de hacer uso de ellos en clase: «no existe ningún medio tecnológico que *a priori* y por sí mismo garantice el éxito».

Como demostración práctica de que es posible aprender jugando con el ordenador proponemos en las páginas siguientes algunas actividades para una clase de español para extranjeros.

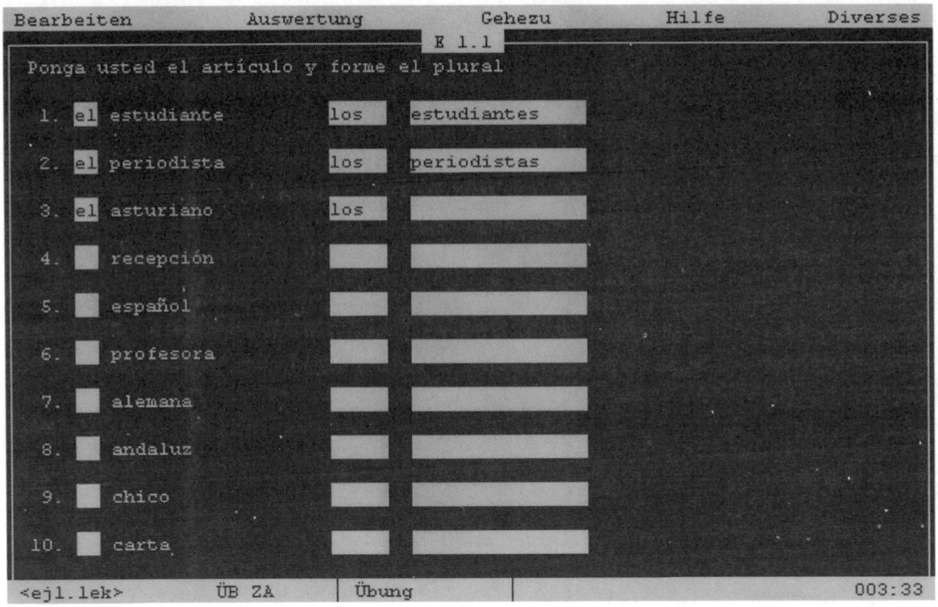

GRÁFICO 1.—*Lacuna (Soft-mail, 1990); Ejercicio interactivo (singular y plural).*

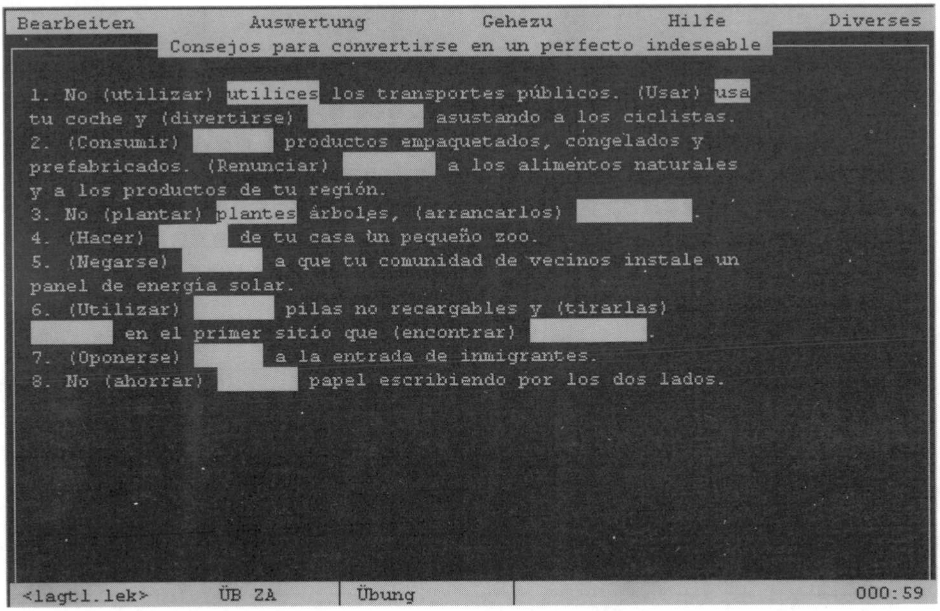

GRÁFICO 2.—*Lacuna (Soft-mail, 1990); Ejercicio interactivo («cloze»; formas verbales; uso del imperativo y subjuntivo).*

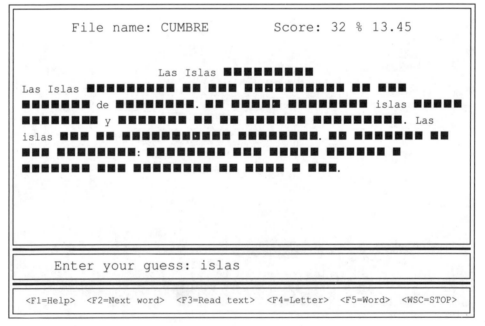

```
        Tema 1: Oración Simple: presente de indicativo: ser/estar

INSTRUCCIONES: Completa con el verbo SER en presente

EJEMPLO:          Ella ..... española.
                  Ella es española.


        3. El ..... veterinario.

        ? está.

        ¡No!
        La respuesta correcta es:

        es

                    (pulse cualquier tecla para seguir)


  F1 = AYUDA                    F2 = VOCABULARIO            F3 = SALIR
```

GRÁFICO 3.—*450 Ejercicios Gramaticales* (*Cantos y Sánchez, 1992, prototipo no comercializado*): *Ejercicios interactivos* (*formas de presente del verbo* **ser**).

```
      File name: CUMBRE        Score: 32 % 13.45


                  Las Islas ■■■■■■■■■
Las Islas ■■■■■■■■■ ■■ ■■■ ■■■■■■■■■■ ■■ ■■■
■■■■■■■ de ■■■■■■■■■. ■■ ■■■■■ ■■■■■■■■■ islas ■■■■■
■■■■■■■■ y ■■■■■■■ ■■ ■■ ■■■■■■ ■■■■■■■■■■. Las
islas ■■■ ■■ ■■■■■■■■■■■■ ■■■■■■■■. ■■ ■■■■■■■■ ■■
■■■ ■■■■■■■■: ■■■■■■■■ ■■■ ■■■■■ ■■■■■■ ■
■■■■■■■ ■■■ ■■■■■■■■ ■■ ■■■■ ■ ■■■.




Enter your guess: islas

<F1=Help>  <F2=Next word>  <F3=Read text>  <F4=Letter>  <F5=Word>  <WSC=STOP>
```

GRÁFICO 4.—*Fun with Texts* (*Wida Soft, 1988*); *Ejercicio interactivo* (*reconstrucción de un texto*).

```
      File name: CUMBRE          Score: 0 % 0.00

              als ssial gsláapgas
   lsa ilssa álaggopas es nah verdooncdo ne anu avreres ed
   selnimaa. ne etssa ñasepueq sials nevvi eslniame y staplna
   ne us odseod voiyripim. asl iassl ons nu rioalobraot
   etenviiv. le mosimut se ymu laesciep: sanosrep onc chumo
   enidor o vónejes ueq rcrnreoe al asli a iep.



   Enter your guess:

   <F1=Help>  <F2=Next word>  <F3=Read text>  <F5=Show word>        <ESC=STOP>
                                                                            .
```

GRÁFICO 5.—*Fun with Texts (Wida Soft, 1988); Ejercicio interactivo (averiguar el orden secuencial de los caracteres de las distintas palabras que componen el texto).*

PREGUNTA 1

¿En qué año se descubrió América?

    En 1452
➡   En 1492
    En 1592
    En 1442

↑↓ para elegir contestación ⏎ para contestar   **Esc** para terminar

RePág/AvPág para cambiar de pregunta

GRÁFICO 6.—*¿Qué elige? (versión española de **Choicemaster**; Wida Software, 1988); Ejercicio interactivo de elección múltiple.*

Bibliografía

ARANA, J. (1987), *«Informática en la educación»*, Instituto de Ciencias del Hombre. Madrid, ICH.

BLEASE, D. (1986), *Evaluating Educational Software,* Londres, Croom Helm.

BORK, A. (1985), *El ordenador en la enseñanza. Análisis y perspectivas de futuro,* Barcelona, Editorial Gustavo Gili.

BRITISH COUNCIL (1987), *Communicative Language Learning and the Microcomputer,* Londres, British Council.

CANTOS, P. (1992), *«Cómo evaluar el* software *específico para la ELAO»,* INFODIDAC Revista de Informática y Didactica, 19-20, págs. 43-46.

CHAPELLE, C. y JAMIESON, J. (1983), *«Language Lessons on the PLATO IV System», System,* 11,1, págs. 13-20.

DAVIES, G. y HIGGINS, J., (1983), *Using Computers in Language Learning: a Teacher's Guide,* Londres, Centre for Information on Language Teaching and Research.

DÍAZ, J. C. (1987), *La enseñanza asistida por ordenador,* Informática en la educación, Madrid, Instituto de Ciencias del Hombre (Ed.).

HARDISTY, D. y WINDEATT, S. (1989), *CALL,* Oxford, Oxford University Press.

HIGGINS, J. y JOHNS, T. (1984), *Computers in Language Learning,* Londres, Collins.

LEONARD, J. (1985), *Computers in Language and Literacy Work,* Londres, Adult Literacy and Basic Skills Unit-Inner London Education Authority.

ODELL, A. (1986), *«Evaluating CALL Software»,* en G. LEECH y C. N. CANDLIN (eds.): *Computers in English Language Teaching and Research,* Londres, Longman.

RUIPÉREZ, G. (1990), *Introducción a la enseñanza de lenguas asistida por ordenador,* Madrid, UNED.

— (1995), *Enseñanza de lenguas y traducción con ordenadores,* Madrid, Ediciones Pedagógicas.

Juegos teatrales
para la enseñanza del español
como segunda lengua

Luis Dorrego Funes
Universidad de Alcalá de Henares

I. Desde hace ya varias décadas, la enseñanza de idiomas ha ido incorporando el juego como parte fundamental de su metodología y, en especial, el juego teatral. Éste ha venido a sustituir a las artificiales estructuras memorizadas buscando un lugar donde la didáctica se tornara más comunicativa. Lo lúdico en lugar de lo estructural; un camino que irá de lo extralingüístico hacia lo lingüístico. En suma, un aprendizaje vivo.

Todo pedagogo conoce el importante papel que el juego desempeña en el desarrollo de los individuos. Desde temprana edad y mediante los juegos infantiles, vamos descubriendo el mundo y tomando conciencia de cuanto nos rodea y, gracias a ellos, también aprendemos a comunicarnos con los demás. El juego es participativo y, bien canalizado, llega a ser expresivo, creativo; a través de él, en el aula se favorece de forma directa la sociabilidad y la integración. Ese juego en sí es ya una acción dramática pues nace del encuentro, lucha, conflicto, entre el individuo que comienza su aprendizaje, y el mundo.

Lo que desde aquí se propone es avanzar un paso más, un pequeño paso, en la enseñanza del español como lengua extranjera, apoyándonos en los llamados ejercicios, técnicas o juegos dramáticos. Pero esto no significa que vayamos a convertir la clase en un escenario ni a los estudiantes en actores. No, se trata simplemente de alejarnos de la memorización mecánica y utilizar algunas técnicas y ejercicios que nos brinda el teatro, para incluirlas de forma aleatoria en nuestras sesiones o métodos de enseñanza del español.

El actor, junto con el director, ensaya durante meses para reproducir una realidad, una verdad, y que ésta sea transmitida a un público. Para conseguirlo usan una serie de medios, desde técnicas vocales hasta improvisaciones, que pueden llegar a convertirse en ejercicios en un aula de enseñanza de idiomas. Como veremos, el teatro, o mejor dicho, el drama, es una fuente inagotable de recursos para el profesor; para ello habrá que tener en cuenta que el teatro nunca será un fin sino un medio para el profesor activo e imaginativo.

II.   ¿Con cuánta frecuencia nos quejamos de la falta de participación del estudiante en la clase? ¿Y de su falta de atención o de interés? ¿Cuántas veces una clase, que comienza con una buena comunicación entre profesor y estudiantes, termina convirtiéndose en una tortura de la que todos están deseando escapar? Desde aquí pensamos que en muchas ocasiones la repetición huera de estructuras gramaticales, los aburridos ejercicios y los falsos diálogos forman parte sustancial de estos problemas. Los juegos dramáticos nos brindan la posibilidad de recuperar el interés perdido, nos ayudan a remontar la pérdida de atención del estudiante y consiguen elevar la participación de la clase. De una forma sencilla: una pregunta interesa únicamente a una o dos personas, mientras que en el juego se involucra a la mayoría, si no a todos.

Cuando se trabaja un juego dramático en la búsqueda de ese espacio comunicativo ideal, se hace intervenir no sólo a los participantes, sino a su imaginación, a su sensibilidad, es decir, a su creatividad. Sus cinco sentidos permanecerán alerta para impregnarse de esa nueva forma de aprender, de esa experiencia, logrando así una mayor autenticidad en la aparición del lenguaje. Lo que se aprende con el cuerpo, con los sentidos, es mucho más difícil de olvidar que lo memorizado pasivamente.

En la clase de idiomas debemos comprender la intención, el significado, utilizando todos los medios posibles para la reproducción de la realidad. De lo contrario, el interés decae. El drama nos ayuda a que el lenguaje esté usado en un contexto apropiado cuando utilizamos situaciones y vocabulario verosímiles.

Asimismo, al trabajar directamente con todo el grupo de estudiantes y desde dentro de él, nos estamos asegurando de que su participación va a surgir en el momento oportuno, ya que al mismo tiempo estamos canalizando su imaginación, su creatividad y su energía. Todo ello influirá en la forma en la que el lenguaje va a aparecer, produciéndose así una genuina comunicación, que habrá brotado espontáneamente.

El concepto de dinámica de grupo tiene un papel relevante a la hora de sentar los cimientos para establecer una enseñanza de idiomas comunicativa. Si conseguimos que mediante los juegos dramáticos desaparezcan, en la medida de lo posible, las inhibiciones y primeros rechazos y logramos involucrar al estudiante en la construcción del grupo, estamos estableciendo las bases de la óptima comunicación en el aula. Si sugerimos en la clase un juego dramático donde el individuo esté inmerso en el equipo y tenga que trabajar, o, mejor dicho, jugar desde sus propias necesidades y estímulos para luego revertirlas al colectivo, ya hemos conseguido una comunicación real. Y por lo tanto, una vez más, la monotonía y el aburrimiento habrán desaparecido e incluso habremos fortalecido en el estudiante la confianza en sí mismo, al brindarle la sensación real de pertenencia y seguridad, consiguiendo de esa forma ahuyentar de la clase de idiomas los fantasmas de la timidez y del abandono.

III. Lo que en este escrito presentamos son precisamente unos juegos con una aplicación lingüística concreta. Es decir, dirigiremos la actividad teatral hacia un objetivo fonético, gramatical, ortográfico o léxico específico. Pongamos un ejemplo: el aparentemente inocente juego del espejo, que todos habremos practicado en alguna ocasión. El desarrollo es el siguiente: una pareja frente a frente: uno de ellos realiza determinados movimientos y el otro deberá ser su reflejo en el espejo, es decir, intentar reproducir todos los movimientos que efectúe el primero. Éste es el juego infantil. Ahora bien, en la enseñanza dramática se le suele aplicar una variante: los participantes deberán mirarse a los ojos, es decir, intentar comunicarse sin palabras. Uno expresa con la mirada qué movimiento está haciendo o va a realizar y su compañero lo tiene que adivinar. Como se puede ver, este pequeño matiz contribuye a fomentar la confianza entre los participantes y si, por ejemplo, hiciéramos que rápidamente cambiaran de pareja, la inhibición terminaría por desaparecer, lo que provocaría un clima relajado y divertido. Todo esto está muy bien, pero... ¿qué haríamos para introducir lo lingüístico en este caso?

Las respuestas son variadas, pero una de las posibilidades podría ser: indicar a los estudiantes que al finalizar los movimientos ante *el espejo* se den la vuelta y se coloquen espalda contra espalda. En este momento, por turnos, deberán describir físicamente al compañero y el lugar donde se encuentran; cómo es y qué ropa lleva, dónde están, etcétera. De esta forma, además de la ampliación del léxico, estaremos trabajando las diferencias en el uso de los verbos *ser* y *estar*. Pero lo más importante de todo ello es que, llegado el momento en el que haya que expresarse con palabras, la comunicación va a fluir sin tensiones de tipo inhibitorio; el lenguaje ha surgido espontáneamente. Por supuesto, este juego está abierto y puede admitir cualquier tipo de variantes y, en resumidas cuentas, no es más que un juego dramático de interacción y psicomotor, que nos ha ayudado a asegurarnos de que el lenguaje ha sido usado bajo un contexto apropiado.

La forma tradicional de la enseñanza idiomática destacaba tres fases: la presentación de la forma lingüística, su práctica y un reforzamiento. Como vemos, en los juegos dramáticos se desarrollan estas tres: en primer lugar la observación de la vida, del mundo de las personas. En segundo y en tercer lugar, la interpretación y la interacción.

IV. Para que estos juegos lleguen a ser realmente efectivos se han de tomar en cuenta los siguientes factores:

1. Antes de realizarlos se debe considerar cuál es el momento oportuno. Ya hemos mencionado anteriormente los momentos de bajo interés o la falta de concentración de los estudiantes. También podrían usarse como juegos para desinhibir a los más tímidos o recelosos, así como para el comienzo de cualquier sesión.

2. Habitualmente se piensa en el aula como un lugar frío, demasiado ordenado o jerarquizado. Para la realización de estos ejercicios se debería crear el clima propicio, por lo que un cambio en el espacio supondría una notable ayuda para el profesor. La clase ordenada en círculo o la desaparición de las mesas o sillas durante unos minutos contribuyen a motivar la participación del estudiante. Todo ello, sin que se abandone la necesaria disciplina.

3. Un lenguaje necesario preparatorio: antes de comenzar la actividad, el profesor deberá acotar campos lingüísticos, seleccionar la materia gramatical pertinente y los materiales adecuados. Ha de ser preciso en la formulación de la actividad y dar las órdenes concretas, así como ser riguroso con el control del tiempo de cada ejercicio. No habría que olvidar tampoco la edad media de la clase y si existen o no edades muy mezcladas.

4. Otro factor digno de ser considerado es que el uso de la legua materna será inevitable en una primera fase, para así permitir que, de una forma espontánea, el idioma surja en su momento. Asimismo habrá que tener en cuenta el lenguaje no-verbal y la entonación, como factores esenciales que contribuyen a la adquisición del significado.

5. ¿Qué hacer con los que rechazan este tipo de juegos? No poner especial atención en ellos. Si se crea el grupo y se desarrolla, los tímidos se integrarán. Sin embargo, hay otro tipo de alumno, opuesto al anterior, que desea participar en todo y absorbe el tiempo de los otros. A este estudiante se le puede obligar a pensar antes de actuar o hacerle ver que el tiempo es de todos.

6. Y por último, habrá que revisar necesariamente la relación profesor-alumno. Este nuevo docente tendrá que abandonar su tradicional jerarquía en beneficio de una atmósfera más relajada y sensible.

El profesor es un observador de los intereses, iniciativas y desganas del grupo y soluciona sus problemas, o los prevé antes de su aparición.

Como se puede ver, las técnicas dramáticas promueven una actividad de la que nacerá el lenguaje espontáneamente en un marco de flexibilidad y apoyo mutuo. La práctica del drama representa un estímulo para el estudiante y también para el profesor activo. Claro está que su desarrollo límite exigiría unas necesidades y unos compromisos que habría que asumir desde el primer momento. Sin embargo, los juegos que aquí reseñamos son completamente susceptibles de ser adaptados a la clase más convencional.

V. A continuación, resumimos diez actividades extraídas del libro de próxima aparición *Técnicas dramáticas para la enseñanza del español*[1]. Cada una de ellas corresponde a un apartado diferente dentro de una posible metodología. Los seis primeros son juegos desinhibitorios, sirven para calmar los primeros nervios y conocer e integrar a los miembros del grupo. La séptima actividad entra en el marco del desarrollo de la expresión oral a través del sentido del oído y la siguiente, de la vista. Por último, la novena y la décima son actividades de expresión oral más cercanas a las improvisaciones teatrales y para un nivel más alto que las anteriores.

1. El juego de los nombres

Objetivos: Apaciguar el nerviosismo de un grupo nuevo.
Establecer los primeros contactos dentro del grupo.
Presentarse a sí mismo y a los demás, incluyendo las profesiones y las aficiones. Divertirse.

Nivel:	Elemental.
Participantes:	30, como máximo.
Duración:	De 10 a 20 minutos.
Necesidades:	Un espacio suficientemente grande para que los participantes se encuentren formando un grupo.

Cómo Hacerlo: Pide al grupo que se siente formando un círculo y consigue que se sientan cómodos. Después, la persona que empieza se presentará a sí misma:

Ejemplo: *Me llamo María/Soy María.*

---

[1] DORREGO, L. (1997), *Técnicas dramáticas para la enseñanza del español,* Universidad de Alcalá de Henares.

La siguiente presentará a la anterior y a sí misma:

Ejemplo: *Ésta es María y yo soy Andrés.*

La tercera persona presentará a las dos anteriores y después a ella, y así sucesivamente, hasta completar todo el círculo:

Ejemplo: *Ésta es María, éste es Andrés y yo soy Pedro.*

Nota: Para que el educador recuerde todos los nombres, es más fácil que su turno sea el último.

Variaciones y prolongaciones: Se pueden añadir otros datos al nombre, como, por ejemplo, las aficiones y las profesiones, para lo cual la estructura gramatical que el profesor enseñará a los participantes será la siguiente:

1. *—¡Hola!, te presento a Juan. Yo soy profesor y él es estudiante.*
2. *—Yo soy médico. Y tú, ¿qué eres? —¿Qué haces? —¿En qué trabajas? —¿A qué te dedicas?*
3. *—A mí me gusta leer. Y a ti ¿qué te gusta?*

Asimismo, les podrá ofrecer una lista como ésta:

Profesiones: *profesor, estudiante, médico, ingeniero, enfermero, actor, actriz, fotógrafo, conserje, dependiente, directora, perito, electricista,* etcétera.

Aficiones: *la música, el cine, el teatro, el arte, pasear, viajar, esquiar, leer, nadar, cocinar, dormir,* etcétera.

Contenidos teóricos:

* **Presente de indicativo.**
* **Pronombres personales** (Sujeto/complemento).
* **Pronombres demostrativos.**
* **Oraciones interrogativas.**

2. **El juego de los nombres** (continuación).

Objetivos:	Conocer los nombres de los integrantes del grupo. Mantener la comunicación entre sus miembros.
Nivel:	Medio.
Participantes:	Uno o varios grupos de diez.
Duración:	10 a 20 minutos, dependiendo del número de participantes.
Necesidades:	Espacio amplio para sentarse en círculo.

Cómo hacerlo: Como en la actividad anterior, sentados en círculo, uno de los participantes comenzará advirtiendo o acusando a otro de algo:

> Ejemplo 1: *Pedro no ha hecho los deberes.* A lo cual Pedro contestará: *Yo sí los he hecho. Es Sara quien no ha hecho los deberes.* Sara contestará negativamente y acusará a otro compañero: *Yo sí he hecho los deberes. Es María quien no ha hecho los deberes.* Y así sucesivamente, hasta que todos hayan participado.

Como podemos observar, con esta actividad estamos empleando el **pretérito perfecto.** Asimismo, podemos introducir cambios en el modelo gramatical variando el tiempo verbal:

> Ejemplo 2: Un participante dirá, utilizando la estructura anterior: *Juan no **ha venido** hoy al colegio.* A lo que el otro responderá: *Sí **ha venido** hoy, fue ayer cuando no **vino**.* O bien cambiando el orden: *Luis no **jugó** ayer al baloncesto.* Y la respuesta será: *Sí **jugó** ayer, pero no **ha jugado** hoy.* Con lo que hemos introducido el **pretérito indefinido.**

Variaciones y prolongaciones: Al igual que en la actividad anterior, todos sentados en círculo, ahora se trata de recordar los nombres de los participantes jugando a identificarles con un animal, con una flor o con un color. Para ello, si es necesario, se les proporcionará una lista con nombres de animales, plantas y colores:

Nombres de animales: *perro, gato, león, leopardo, jirafa, pantera, ratón, caballo, toro, pájaro, tortuga.*
Nombres de flores: *rosa, clavel, margarita, geranio, magnolia, azucena, violeta, hortensia.*
Nombres de colores: *rojo, azul, verde, amarillo, violeta, naranja, blanco, negro, morado, marrón, gris.*

En este momento, el profesor nombrará a uno de los participantes, que puede salir, si lo desea, al centro del círculo, y le preguntará: *Si Pedro fuera un color, ¿qué color sería?*

Ahora el resto de los participantes deberá repetir la siguiente **estructura gramatical: * si + imperfecto de subjuntivo + nombre + condicional simple + nombre.** (ej.: *Si Pedro fuera un color, sería el rojo*).

Y así, hasta finalizar la ronda, sustituyendo el nombre de animal o flor cuantas veces sea necesario.

Contenidos teóricos:

* **Pasado:** Pretérito perfecto/Pretérito indefinido.

* **Subjuntivo:** Imperfecto.
* **Condicional simple.**
* **Relativo:** Quien.
* **Interrogativo** ¿Qué?

3. **El juego del adverbio**

Objetivos: Desinhibir al comienzo de una sesión.
                     Provocar diversión dentro del grupo.
                     Comunicación a través de órdenes-respuestas.
Nivel: Elemental.
Participantes: 30 máximo.
Duración: 10 a 20 minutos, dependiendo del tamaño del grupo.
Necesidades: Preferiblemente un espacio diáfano para poder utilizar el suelo con comodidad.

Cómo hacerlo: Haremos que un participante voluntario abandone la sala, mientras el resto elige un adverbio, por ejemplo *lentamente*, de una lista que le habremos ofrecido con anterioridad.

Vocabulario: Lista de adverbios:

    Adverbios de modo: *deprisa, despacio, rápidamente, lentamente, bien, mal, ordenadamente, rítmicamente, cómodamente, educadamente, afectuosamente, groseramente, cariñosamente.*

    Adverbios de lugar: *lejos, cerca, arriba, abajo, encima, debajo.*

    Adverbios de cantidad: *mucho, poco, abundantemente, escasamente.*

Ahora explicaremos al grupo que este adverbio elegido será el que marque nuestros próximos movimientos. Es decir, que tendrán que hacer lo siguiente *de esa manera*. Luego haremos volver al que marchó y le diremos que mediante las órdenes que él dé al resto, tendrá que intentar adivinar el adverbio elegido por el grupo. Por ejemplo, al ordenar *mover los párpados*, el grupo los moverá muy despacio, ya que el adverbio elegido fue *lentamente*.

Al igual que en actividades anteriores, al participante se le habrá explicado el uso del **imperativo** y proporcionado una lista con verbos en infinitivo, que tendrá que poner en forma de orden o mandato.

Imperativos de los siguientes verbos: *abrir, escribir, leer, andar, cerrar, coger, tirar, borrar, apagar, encender, mover(se), comer, (des)calzarse, (des)peinarse, (des)vestirse, bailar, pegar, besar.*

El participante lo tendrá que adivinar después de varios mandatos. Si no lo acierta, se elige a otro participante y la clase, otro adverbio.

Variaciones y prolongaciones:

1. Se realiza el mismo proceso, pero con los participantes divididos en grupos pequeños.
2. El profesor da las órdenes al grupo.
3. Todos en círculo; un participante ha elegido el adverbio y el grupo lo debe adivinar.

Nota: Si por cualquier razón alguien o todo el grupo no quisiera o no pudiera ejecutar la orden, se respondería *yo no quiero, ahora no puedo o no me da la gana,* pero *lentamente,* o con el adverbio elegido.

Contenidos teóricos:

* **El imperativo** (de verbos que indiquen acciones que se puedan hacer en ese espacio).
* **Adverbios** (de modo, lugar, cantidad).
* **Formas de negación.**

4. Espalda con espalda

Objetivos: Identificación de las personas y de sus rasgos físicos.
Dotar de un grado mayor de confianza y pertenencia a los individuos y al grupo.
Ejercitar la concentración.
Nivel: Elemental-Medio.
Participantes: Grupos de 10 a 14 personas.
Duración: Entre 10 y 20 minutos.
Necesidades: Espacio amplio.

Cómo hacerlo: Para comenzar, reparte una lista como la siguiente:

Vocabulario para describir rasgos físicos:

Aspectos generales: *alto, bajo, guapo, feo, gordo, corpulento, delgado, canijo, flaco, joven, viejo.*
Pelo: *moreno, rubio, castaño, pelirrojo; liso, rizado, corto, largo, lleva... (trenza, moño, coleta, el pelo suelto).*
Ojos: *(claros/oscuros), azules, negros, marrones, verdes.*
Pestañas: *largas, cortas, grandes, pequeñas. Morenas, rubias.*

Nariz: *larga, chata, aguileña, puntiaguda, ancha, es un/a «narizotas».*

Las manos: *grandes, pequeñas, finas, toscas, delicadas.*

Las piernas: *bonitas, feas, gordas, delgadas, arqueadas, largas.*

Los pies: *grandes, pequeños, planos, feos.*

Para describir aspectos de la personalidad: *tímido, apocado, decidido, intrépido, vivo, vivaz, fuerte, con mucho genio, alegre, con mucha/poca personalidad, siniestro, malvado, bondadoso, borrachín, con mal genio, con buen carácter, simpático, antipático, servicial, estúpido, grosero, amable, agradable, apacible, encantador, sonriente, serio, educado, mal educado, loco, chiflado, cobarde, valiente, sincero, bueno, inteligente, torpe, tonto, listo.*

Después de haber trabajado en el vocabulario, enseña a los estudiantes cómo se describe a las personas utilizando las siguientes **Estructuras gramaticales:**

* **Es + adjetivo.** Ejemplo: *Es alto.*
* **Tiene/lleva + sustantivo (+ adjetivo).** Ejemplos: *Tiene barba. Lleva falda larga.*
* **Parece + adjetivo.** Ejemplo: *Parece tímido.*
* **(Me) parece + que + es/está + adjetivo.**

    Ejemplos: *(Me) parece que es inteligente. (Me) parece que está contento.*

Después de esta introducción podremos comenzar con el juego. Si el grupo es nuevo o se conocen poco, haz que caminen por la clase observándose unos a otros durante tres minutos. Si ya se conocen, prescinde de ese tiempo. Después de dar una palmada, deben colocarse espalda con espalda de la persona que encuentren más cerca. Ahora, comenzarán a describirse el uno al otro procurando ser lo más precisos posible en la descripción. Por ejemplo, si se nombra un color, matizar si es claro u oscuro, etcétera.

Para facilitar el desarrollo de la actividad, hazlo primero con una o varias parejas y que los demás lo escuchen. De esta forma les estarás enseñando cómo se describe a las personas. Cuando los dos integrantes hayan terminado, comparar con la realidad.

Nota: Es interesante comprobar cómo el lenguaje aparece con más facilidad, sin tensión, si se cierran los ojos.

Variación: Divide al grupo en parejas y colócalos frente a frente. Uno de ellos, *A,* deberá observar detenidamente a *B* durante unos minutos. *B* se dará la vuelta y hará cinco modificaciones en su vestuario o en la posición de las manos, el pelo, etcétera.

Al terminar, se volverá de nuevo hacia *A*, que tendrá que adivinar cuáles han sido los cambios, efectuando preguntas del siguiente tipo:

* *¿Te has cambiado... (el peinado)?*
* *¿Te has puesto/quitado...?*
* *¿Te has cortado el pelo/maquillado/pintado?*
* *¿Te has cambiado de...?*
* *¿Antes tenías... y ahora tienes...?*

El participante tiene sólo cinco oportunidades para adivinar los cambios producidos. Después cambiar roles.

Contenidos Teóricos:

* **Usos de ser y estar.**
* **Adjetivos para describir rasgos físicos y psíquicos de personas.**
* **Pronombres personales** (forma de complemento).
* **Pretérito perfecto.**
* **Imperfecto de indicativo.**

5. Detectives del sonido.

Objetivos:	Valorar el sonido como vehículo de expresión.
	Introducir la afirmación, la negación, la duda, el desacuerdo en la conversación.
	Aprender a hacer descripciones en las que el sonido tenga una especial relevancia.
Nivel:	Medio.
Participantes:	15 a 20 personas en grupos de cinco.
Duración:	20 minutos.
Necesidades:	Lista de sonidos como la propuesta.

Cómo hacerlo: Pide a los participantes que cierren los ojos y que escuchen todos los sonidos que se producen en la habitación. Después de dos minutos, diles que abran los ojos y que hagan una lista escrita de todos los sonidos escuchados. Para ello podrás haberles dado con anterioridad una lista ya elaborada de sonidos, como ésta:

> **Del cuerpo:** *latidos, respiración, tragar, tos, estornudo, risa, llanto, gemido, grito, bostezo, palmada, silbido, pisadas.*
>
> **Del exterior:** *pasos, el viento, la lluvia, el trueno, el tráfico (frenazos, bocinas, etcétera), una explosión, un avión, una sirena.*

Del aula: *portazo, golpes, pasos, un libro al caer, el tic-tac de un reloj, la tiza en la pizarra.*

Otros: *una máquina de escribir, la televisión, la radio, gorjeo, maullido, ladrido.*

Luego, cada uno de los participantes debe seleccionar uno de los sonidos y nombrarlo en voz alta. Así se confeccionará una lista común, debiendo estar todos los miembros de acuerdo sobre el sonido escuchado. Éste es el momento de enseñarles estas estructuras gramaticales: **acuerdo, desacuerdo y duda.**

Para llegar a establecer el acuerdo, el estudiante presentará el sonido:

* **Creo / me parece que + verbo indicativo.**

    Ejemplo: *Me parece que es un frenazo. Creo que proviene de un frenazo.*

Otros estudiantes pueden **asentir** mediante expresiones del tipo:

* **Sí / en efecto / por supuesto / claro que sí / estoy de acuerdo.**

O bien, pueden **discrepar:**

* **No creo que + verbo subjuntivo.**

    Ejemplo: *No creo que sea un frenazo. No creo que provenga de un frenazo.*

O bien, pueden **dudar:**

* **Quizá / posiblemente / tal vez + verbo subjuntivo.**

    Ejemplos: *Tal vez tengas razón. Quizá sea un frenazo, pero yo creo que...*

Una vez elaborada la lista, los estudiantes tendrán que describir los sonidos mediante los siguientes procedimientos:

Estructuras gramaticales:

A) **Adjetivos:**
    * **Nombre del sonido + verbo copulativo + adjetivo.**
        Ejemplo: *El sonido de la sirena es estridente.*

B) **Comparaciones:**
    * **Más / menos / igual + adjetivo + que...**
    * **Tan + adjetivo + como...**
    * **Adjetivo + como...**

Ejemplos: *Su voz es más armoniosa que el canto de los pájaros. Su voz es tan armoniosa como el canto de los pájaros. Su voz es armoniosa como el canto de los pájaros.*

C) También se pueden describir mediante el efecto que produce en el oyente:

   * **Sustantivo (+ adjetivo) + proposición de relativo.**

     Ejemplos: *Se oyó un ruido (atronador) que aterrorizó a todos.*

     Os podéis también ayudar del siguiente **vocabulario:**

   * **Adjetivos referidos a los sonidos:** *fuerte, intenso, débil, bajo, alto, grave, agudo, agradable, desagradable, molesto, armonioso, chirriante, estridente, relajante, enervante, cercano, lejano, monótono, insistente, tranquilizador, amenazador, atronador, agresivo.*

Finalmente, efectúa una ronda donde todos puedan expresarse.

Prolongación:

Al igual que antes, divide a los participantes en pequeños grupos y pídeles que cierren los ojos; ahora es el profesor el que va a provocar los sonidos. Éstos deben ser claros, para la fácil identificación por parte del estudiante. Lo importante es jugar con los diferentes tonos e intensidades. Por ejemplo, si tiras un cuaderno al suelo, marca bien la diferencia con el sonido producido al arrugar una hoja de papel.

De nuevo se elaborará una lista y se buscará la mayor participación del estudiante.

Nota: Es importante que los participantes tengan el mayor grado de relajación posible, para el mejor desarrollo de la actividad.

Variaciones y prolongaciones:

1. Escuchar los sonidos procedentes del exterior.
2. Escuchar los sonidos producidos por el propio cuerpo (*latir del corazón, tragar, respirar,* etcétera).
3. Sonidos previamente grabados.
4. Construir un relato donde estén incluidos todos los sonidos.

Contenidos teóricos:

* **Adjetivación.**
* **Comparación.**

* Adverbios y locuciones que expresan afirmación, negación y duda.
* Uso del indicativo y subjuntivo en frases que dependen de verbos. De opinión, afirmación y duda.

6. El diálogo perdido

Objetivos: Estimular la fluidez verbal.
Favorecer la capacidad de creación oral.
Practicar la lectura en voz alta.
Buen ejercicio para desinhibir al comienzo de una sesión o durante la misma.
Nivel: Elemental-Medio.
Participantes: De 16 a 20 personas, siempre pares.
Duración: 15 minutos.
Necesidades: Tarjetas con frases que correspondan a una parte del diálogo.

Cómo hacerlo: Reparte entre los estudiantes una parte del diálogo. Para cada uno de ellos, una frase.

Ejemplos de diálogos breves:

1) A: *¿Cómo te han ido las vacaciones?* B: *Muy bien, he estado un mes en la India.*
2) A: *Yo creo que la situación actual es buena.* B: *¿Y qué piensas de las crisis?*
3) A: *Afortunadamente tengo dos ofertas de trabajo.* B: *¡Que suerte! Sin embargo, mi empresa está a punto de cerrar.*
4) A: *Tengo varias cosas que decirte.* B: *Espera un momento que se me quema el aceite.*
5) A: *Todavía me quedan mil pesetas.* B: *Yo me he quedado sin duro.*

Los participantes tienen un minuto para memorizar su frase o línea. Después tienen que encontrar la frase que acompaña a la suya. Disponen para ello de cinco minutos.

Cuando hayan encontrado a su pareja, mantener una breve discusión con el grupo, de forma similar a la actividad anterior. Lo más probable es que exista más de un *pretendiente* para alguna de las frases. Lo interesante consiste en comentar esas diferentes posibilidades. Por ejemplo, en estos modelos pueden aparecer diálogos del tipo:

1) A: *¿Cómo te han ido las vacaciones?* B. *Yo me he quedado sin un duro.*
2) A: *Afortunadamente tengo dos ofertas de trabajo.* B: *¿Y qué piensas de la crisis?*
3) A: *Yo creo que la situación actual es buena.* B: *¡Qué suerte! Sin embargo, mi empresa está a punto de cerrar.*

Como es natural, el grado de dificultad dependerá de la selección de las frases.

Nota: Es importantísimo acotar el campo lingüístico de las frases elegidas.

Variaciones y prolongaciones:

1. Posibilidad de construir una dramatización alrededor del diálogo.
2. Se puede presentar un diálogo literario incompleto —de novela o de teatro— para que los estudiantes lo reconstruyan:

Contenidos teóricos:

* **Compatibilidad semántica.**
* **Concordancia.**
* **Coordinación y subordinación.**

7. Algo me pasa

Objetivos: Ejercitar la capacidad de hablar en público mediante el trabajo en equipo. Aprender a escuchar un relato para volverlo a contar.
Comunicar experiencias propias y ajenas.

Nivel: Medio.

Participantes: Máximo de 20 personas.

Duración: 10 a 20 minutos.

Cómo hacerlo: Divide la clase en grupos de 3 personas. Pide a una de ellas, *A,* que relate al resto algún recuerdo o acontecimiento de su vida o de la de otros, que tenga especial relevancia. La segunda persona del grupo, *B,* escuchará atentamente y, si quiere, tomará notas. Después de que *A* termine, *B* tendrá que contar de nuevo la misma historia de *A,* intentando ceñirse al máximo a la historia de *A. C,* el tercer participante, hará a su vez lo mismo que *B,* después de que éste termine, procurando corregir en la medida de lo posible al anterior.

Todos pasarán por ser los primeros en la ronda.

Nota: No es importante que la historia sea larga, sino que la actividad nos dé la oportunidad de escuchar, repetir y corregir.

Contenidos teóricos:

* **Tiempos del pasado:**
    — **P. imperfecto.**
    — **P. indefinido.**
    — **P. perfecto.**
    — **P. pluscuamperfecto.**

8. El juego del verbo

Objetivos: Introducir lo cotidiano en el aula.
Comunicar mediante el gesto y el mimo.
Desinhibir a los miembros del grupo.
Nivel: Elemental.
Participantes: Máximo de 30.
Duración: 15 a 30 minutos.
Necesidades: Espacio diáfano o mesas en círculo.

Cómo hacerlo: Sienta a los participantes en círculo y sugiéreles acciones que se puedan mimar con el rostro, como por ejemplo: *reír, oler, bostezar.* A continuación te ofrecemos una lista con diferentes tipos de acciones.
Lista 1: Acciones que se puedan imitar con el rostro: *reír, llorar, dormir, despertarse, bostezar, admirarse, sorprenderse, oler, observar, comer, beber, escuchar, enfadarse, alegrarse.*

Ahora vamos a incorporar el resto del cuerpo a la expresión. Para ello, haremos incorporarse al grupo y les sugeriremos acciones del tipo: *andar, descansar, volar...*

Se puede utilizar esta lista:
Lista 2: Acciones que se puedan imitar con el resto del cuerpo: *correr, andar, volar, nadar, descansar, sentarse, levantarse, cortar, romper, peinar, limpiar, lavar, jugar, agacharse, vestirse, desnudarse, ducharse.*

Después descansaremos unos momentos y tras esto dividiremos a la clase en parejas y les entregaremos una lista con acciones, como la que te ofrecemos seguidamente. De esta lista elegirán una acción con la que prepararán un mimo.
Lista 3: Acciones que se proponen para preparar un mimo:

Romper:

— *Las puertas de un castillo.*
— *Las cartas y fotos de una antigua relación.*
— *Un vaso contra la pared.*

Cortar:

— *Las uñas de tu compañero.*
— *Un pedazo de una tarta.*
— *Una tela para un disfraz.*

Abrir:

— *Un paraguas un día de mucho viento.*
— *Una lata con un abrelatas estropeado.*
— *El corazón a un amigo.*

Mirar:

— *La ciudad desde un lugar elevado.*
— *A través de un microscopio.*
— *La lluvia tras los cristales.*

Soplar:

— *Las velas de una tarta.*
— *Sobre una quemadura de la mano.*
— *Para avivar un fuego.*

Caminar:

— *Sobre arenas movedizas.*
— *Sobre la arena de la playa.*
— *Haciendo equilibrios.*

Pasear:

— *Con un perro que no quiere avanzar.*
— *Conduciendo a un ciego.*
— *Ostentosamente.*

Tras unos minutos de preparación, las parejas actuarán frente al resto del grupo, que tendrá que adivinar la acción elegida.

Variaciones y prolongaciones: Imitar personajes conocidos, intentando averiguar el lugar, la época o la estación.

Nota: Se puede utilizar vestuario y maquillaje para animar la actividad.

Contenidos teóricos:

* **Estudio de los distintos tiempos verbales.**

9. Conflictos simples

Objetivos: Conseguir el máximo de actividad comunicativa.
Nivel: Medio-Superior.
Participantes: Máximo de 30.
Duración: 10 a 20 minutos.
Necesidades: Espacio cómodo.

Cómo hacerlo: Al igual que en ejercicios anteriores, divide al grupo en parejas y pídeles que representen un conflicto dramático en su totalidad, es decir, con planteamiento, nudo y desenlace. Lo que nos disponemos a hacer es una improvisación completa.

Si lo encuentras necesario, en un primer momento, sugiéreles alguno, por ejemplo:

1. Pasar las vacaciones en el mar, o en la montaña.
2. Tener el hijo, o abortar.
3. Quedarse en la fiesta, o irse.
4. Llevar a la suegra a vivir a casa, o al asilo.
5. Dedicar la mayor parte del tiempo a trabajar, o a divertirse.

Cada uno de ellos deberá mantener su opinión —ser lo más fuerte posible en su objetivo— y sólo podrá ceder cuando haya agotado todos los recursos y estrategias posibles. Después, mantener durante un tiempo un coloquio donde todos se expresen de forma espontánea para hacer comentarios o resolver alguna duda.

Nota: Es importante que estén durante el mayor tiempo posible en la disputa, ya que de esa forma el estudiante deberá buscar todas las soluciones posibles al conflicto activando su imaginación y sus recursos idiomáticos y contribuyendo a la aparición espontánea del lenguaje.

Prolongación: Aquí vamos a detallar el desarrollo de un conflicto y sus variaciones con un ejemplo concreto:

1. Elige a una pareja. Uno de ellos es el dependiente de una tienda, y el otro, un cliente «difícil». Dales un tema sobre el que discutir. El dependiente no puede perder el control y contestará amablemente. Así durante un tiempo; luego cambiar de papel.
2. En grupos de cuatro, dos repiten el conflicto anterior. Sin embargo, en esta ocasión el dependiente sí reaccionará mal. Los otros dos, que pueden ser otros clientes, intentarán calmar la situación creada.
3. Incluso dentro de esta situación, se podría ir enviando a improvisar a otros estudiantes, adjudicándoles un papel específico. Por ejem-

plo: Entra el jefe, luego un familiar del cliente, luego la policía, etcétera.

4. Cuando se haya restablecido el orden en la tienda, hacer que entren un par de periodistas de la televisión para efectuar una entrevista a los que han participado en la situación.

Notas:

1. Es importante que durante la primera fase de la actividad nunca estalle el conflicto. Nunca explota. Esto servirá para efectuar un control no directo sobre la situación creada.
2. Es necesario que el conflicto provocado nunca rebase al profesor; para ello habrá que observar detenidamente el desarrollo y saber interrumpir la actividad antes de que la situación se dispare.

10. Pasado, presente y futuro

Objetivos: Adquirir destreza en el uso de los tiempos verbales.
Nivel: Superior.
Participantes: Máximo de 20 personas.
Duración: 15 minutos cada grupo.
Necesidades: Espacio cómodo.

Cómo hacerlo: En grupos de cuatro personas, dos son una pareja de viejos y la otra, la misma pareja cuando eran jóvenes. El juego seguirá los siguientes pasos:

1. Los ancianos, en una situación dada, hablan durante cinco minutos. En algún momento de la improvisación tienen que recordar algún hecho que les sucedió cuando eran jóvenes.
2. La pareja de jóvenes, que ha escuchado con atención el relato, deberá ahora representar la situación que han recordado los ancianos. Tienen que repetirla exactamente, puesto que la pareja de ancianos son ellos mismos con bastantes años de diferencia.
3. Mientras los jóvenes representan la situación que han recordado los viejos, ellos mismos tienen que conversar introduciendo en algún momento una idea de lo que serán cuando lleguen a ser ancianos.
4. Luego los ancianos representarán la situación imaginada por los jóvenes.
5. Y así, sucesivamente, hasta que se considere oportuno.

En sí mismos, los juegos de dramatización son actividades abiertas, flexibles, puestas a disposición de cualquier profesor. Un profesional que estimule y motive a su alumnado, que arriesgue y deje un espacio a lo lúdico en su didáctica. Para el estudiante, las clases significan silencio, pasividad, obediencia y un lugar ordenado; para el profesor que quiera trabajar diferentes aspectos de la enseñanza de idiomas, las técnicas teatrales ofrecen un soplo de aire fresco, un cambio en la enseñanza tradicional y la adquisición de nuevos recursos.

Bibliografía

HOLDEN, S. (1981), *Drama in language teaching,* Londres, Longman.

JONES, K. (1982), *Simulations in language teaching,* Londres, Cambridge University Press.

MALEY, A., y DUFF, A. (1982), *Drama techniques in language learning,* Londres, Cambridge University Press.

MOTOS, T., y TEJEDO, F. (1987), *Prácticas de dramatización,* Barcelona, Editorial Humanitas.

PORTER, L. (1987), *Roleplay,* Oxford, Oxford University Press.

WESSELS, A. C. (1987), *Drama,* Oxford, Oxford University Press.

La fonética y la fonología en la enseñanza de segundas lenguas: una propuesta didáctica

MARÍA LUISA GÓMEZ SACRISTÁN
Universidad de Alcalá

1. Introducción

La enseñanza de la fonética ha sido uno de los aspectos menos tratados de entre las distintas disciplinas lingüísticas que se ocupan del proceso de enseñanza-aprendizaje del Español como lengua Extranjera (E/LE). A pesar de su importancia, ha tenido un lugar irrelevante en la enseñanza de segundas lenguas, y ni siquiera ha llegado a convertirse en una parte importante del proceso de enseñanza-aprendizaje, quedando siempre supeditada a otras disciplinas. Frente a la semántica y a la sintaxis, consideradas partes relevantes, la fonética ha sido entendida como una disciplina secundaria. Las causas que han motivado este desinterés son variadas y están motivadas por factores ajenos a la propia fonética: edad del estudiante[1], lengua de procedencia, motivación, interés…

2. La fonética en las diferentes corrientes metodológicas

Si bien es cierto que el papel de la fonética en la enseñanza de segundas lenguas ha experimentado variaciones a lo largo de la historia, dependiendo, hasta cierto punto, de las distintas líneas metodológicas de ense-

---

[1] Algunos autores señalan que a partir de los cinco años la capacidad para pronunciar una lengua diferente de la materna disminuye.

ñanza, también lo es que en ninguna ha alcanzado un papel predominante. Así, en la metodología tradicional (gramatical, traducción) su presencia es inexistente en la medida en que priman las reglas gramaticales y la traducción, por lo que la pronunciación no tiene cabida. Lo importante no es el aprendizaje oral, ni tan siquiera la comprensión oral, sino la comprensión escrita. Según esta corriente, dominar una lengua extranjera es poder acercarse a su literatura en detrimento de la lengua hablada.

La aparición de la metodología estructural supone un considerable acercamiento al componente fonético de la lengua. Puesto que el lenguaje es un conjunto de hábitos articulatorios, una lengua sólo se puede aprender a base de repeticiones. Se parte, por tanto, de la idea de que la repetición continuada de sonidos aislados lleva consigo la asimilación e identificación por parte del alumno. Esta identificación y asimilación es la que permite al profesor establecer el orden de progresión más adecuado para ser presentado en clase. Para alcanzar estos objetivos el profesor debería contar con una serie de medios audiovisuales que faciliten la explicación detallada tanto del punto como del modo de articulación de los distintos sonidos. Este planteamiento acerca al alumno a la realización, pero cuenta con el inconveniente de limitar su propia espontaneidad, es decir, obvia el principio de pronunciación compensatoria.

La reacción ante la práctica mecanicista del lenguaje —concepción básica del método estructural— llega de la mano del método comunicativo. La nueva línea metodológica parte de la idea de que lo más importante es satisfacer las necesidades comunicativas del estudiante de L2. Se pierde la rigidez que mantenían los métodos anteriores y se potencia la creatividad. Con la aparición del método comunicativo, la enseñanza de la fonética empieza a jugar un papel más destacado, si bien es cierto que en un primer momento no ocupó un puesto demasiado importante. Sin embargo, a principios de los 90, numerosos profesores, conscientes de su importancia, comienzan a aportar posibles soluciones para introducirla en el proceso de enseñanza-aprendizaje de un modo más independiente. En este sentido A. Sánchez[2] señala que el método comunicativo tiene en cuenta *la identificación de los problemas fonéticos que ofrece el uso oral de una lengua para de este modo poder identificar los sonidos aislados, así como agrupados dentro de la cadena hablada.* Igualmente, Celce-Murcia[3] presenta una serie de propuestas en las que se integra el componente fonético en todas las actividades —independientemente de sus objetivos sintácticos, léxicos...— con el fin de prestar mayor interés a la pronunciación.

Lo ideal sería que los profesores, a la hora de enseñar fonética en clase,

---

[2] SÁNCHEZ, A. (1987), *El método comunicativo y su aplicación a la clase de idiomas,* Madrid, SGEL.

[3] CELCE-MURCIA, M. (1987), «Teaching pronunciation as comunication», en J. MORLEY (ed.): *Current Perspectives on Comunication,* Washington, TESOL, pág. 10.

optaran por un modelo ecléctico, tomando de cada uno de los métodos todo aquello que pueda favorecer un mejor aprendizaje de la pronunciación. Así, la elección del método estructural llevará consigo la presentación sistemática de los sonidos, favoreciendo ésta con la aportación de diferentes materiales gráficos. La puesta en práctica de los conocimientos teóricos se verá reforzada por su utilización en la cadena hablada, para lo cual no hay mejor opción que la metodología comunicativa. Los diferentes ejercicios que se presentan, de base estructural o de base comunicativa, serán un buen comienzo para practicar y corregir la pronunciación.

3. Principales problemas de la enseñanza de la fonética

Este breve repaso por las líneas metodológicas nos hace preguntarnos cuáles han sido las causas que han motivado que la enseñanza de la fonética se haya supeditado a aspectos gramaticales o léxicos. Puesto que la práctica del lenguaje se concibe como la ejercitación de los elementos fonológicos, morfosintácticos y léxicos, el error u omisión de uno de ellos llevará consigo que el proceso de aprendizaje sea deficiente y, por tanto, que nuestros alumnos sean entendidos con dificultad. El error fonético, por tanto, puede resultar tan grave como el gramatical o el léxico. Pronunciar correctamente es necesario para entender y sobre todo para hacerse entender. Las causas que han motivado el desinterés por la fonética según D. Poch[4] han sido:

A) La actitud del profesorado. En la mayoría de los casos han preferido obviar su enseñanza argumentando *que es necesario ser especialistas en fonética para realizar corrección, lo cierto es que se trata de un falso prejuicio* (Poch, 1992:5).
   Ciertamente, sería conveniente que el profesor tuviera un conocimiento preciso del sistema fonológico de la lengua meta, para de este modo señalar los fallos que cometen los alumnos; así como un conocimiento terminológico mínimo, que no deberá ser llevado al aula, pero que servirá para aclarar posibles dudas y confusiones sobre la pronunciación. Es necesario, a nuestro modo de entender, sobre todo conocer la base articulatoria[5] que caracteriza la lengua que enseñamos. Cada lengua presenta una base articulatoria propia, en la que se incluye tanto la entonación como la acentuación; así, la del español estaría caracterizada por el grado de tensión, la estructura silábica, la distribución de los sonidos (predominio de la

---

[4] Poch Olivé, D. (1992), «The rain in Spain…», *Cable,* 5, págs. 5-9.
[5] Por base articulatoria entendemos el conjunto de rasgos articulatorios que caracterizan una lengua. Malmberg, B. (1986), *La fonética,* Buenos Aires, Eudeba, pág. 18.

estructura consonante + vocal)... El conocimiento de la base articulatoria permite marcar las diferencias que existen entre la lengua materna y la segunda lengua, y establecer, de este modo, una jerarquía de dificultades[6] que facilitaría la enseñanza. Ésta nos permitirá describir y predecir aquellas partes de la fonética que van a resultar más difíciles a los alumnos. Un análisis contrastivo entre el español y el alemán, por ejemplo, nos permitirá descubrir por qué los alumnos alemanes articulan como velar la vibrante española simple y múltiple, las causas que determinan la confusión entre las oclusivas sordas y sonoras finales, etcétera.

B) La creencia, por parte de algunos autores, *de que el español es una «lengua fonética [...] y que se trata de una lengua fácil»* (Poch, 1992:5).

Hasta ahora parecía existir una tradición, no sustentada en la realidad, que establecía que la correspondencia entre la ortografía y la pronunciación era casi completa, de ahí que la pronunciación española resultara fácil. Facilidad que a nuestro modo de entender desaparece si tenemos en cuenta los alófonos, su distribución, la estructura fónica de la sílaba, el grado de tensión... Aunque la distancia entre pronunciación y ortografía sea pequeña, sin embargo, partir de esa concepción equivocada sólo permitirá al alumno producir textos orales con los principios básicos de la lengua escrita, lo que sin lugar a dudas es un error. Efectivamente el español presenta 27 grafemas para 22 fonemas, pero debemos eliminar las grafías **b** y **v** pues se corresponden con un único fonema, en oposición a las vibrantes que presentan más de un fonema, o la grafía **c** es [k] ante **a, o, u** y **[θ]** ante **e, i,** y así sucesivamente, lo que nos demuestra que no es total la correspondencia entre pronunciación y grafía.

C) La existencia de distintas normas cultas del español.

Los profesores tratan como errores aquello que, en muchos casos, son características propias de una de las normas. Tal sería el caso del seseo o del ceceo. Pero, ¿qué español es el más correcto?, ¿qué español se debe enseñar?, ¿qué español tienen que aprender nuestros alumnos? Si tomamos como base el español que presentan los materiales didácticos elaborados en España, la respuesta parece bastante clara: el español normativo peninsular. Si, por el contrario, tomamos como referencia el número de hablantes de cada una de las normas cultas la respuesta varía considerablemente. La elección de una de las dos variedades está condicionada por factores

---

[6] LADO, R. (1957), *Lingüistics across cultures,* Ann Arbor, University of Michigan Press.

ajenos al profesor: su origen, su clase social, las necesidades comunicativas del alumno, el entorno que le rodea, etcétera. No debemos olvidar, por otra parte, que muchos alumnos vienen a España con un sistema funcional, adquirido con profesores que tienen como norma el español de América y no debemos intentar adecuarlo a nuestro gusto basándonos en absurdos prejuicios. La solución a este gran problema, según muchos autores, se encuentra en el conocimiento del español *estándar*[7] por parte del profesor. Éste servirá de punto de referencia para situar las distintas variedades; y sobre todo dará la opción de elegir entre explicar o corregir fenómenos característicos de las diferentes variedades de español, elección que, aunque puede estar condicionada por los intereses de los alumnos, debe sustentarse en una explicación y nunca en una corrección.

4. Propuestas para la enseñanza de la fonética

Nos queda preguntarnos cómo debería ser la enseñanza de la fonética y cómo la integraríamos dentro del proceso de enseñanza-aprendizaje. Partimos de la necesidad de enseñar la pronunciación de un modo sistemático y en todos los niveles, para evitar que nuestros estudiantes adquieran vicios difíciles de erradicar. Para la enseñanza de una correcta pronunciación creemos necesario llevar a cabo en la clase de español los pasos que señala A. Sánchez en su *Manual práctico de corrección fonética del español*[8], si bien hemos introducido algunos cambios metodológicos:

A) El reconocimiento e identificación de los fonemas que forman parte del sistema fonológico, presentando en un segundo momento su realización en la cadena hablada, será el primer punto a tener en cuenta. No se debe olvidar que el sistema fonológico sirve para clasificar unidades ideales. Lo importante no es que el alumno conozca las realizaciones, sino que perciba los distintos matices que tiene cada una y, sobre todo, que conozca el valor que tienen en la lengua meta. Se evita de este modo que el alumno *adapte* el sonido a las realizaciones propias de su lengua. En esta fase sería de mu-

---

[7] Por español estándar entendemos *el referente válido en un momento dado en la inmensa superficie en la que el español se habla, aunque la realización de ese sistema abstracto pueda tener pluralidad de actualizaciones: habrá hablantes correctos que distinguirán ese y zeta; elle y ye, pero dejarán caer la -d intervocálica; otros habrán perdido vosotros, pero su español será perfectamente «correcto».* En ALVAR, M. (1990): «La lengua, los dialectos y la cuestión de prestigio», en F. MORENO (comp.): *Estudios sobre variación lingüística,* Alcalá, Universidad de Alcalá, pág. 21.

[8] SÁNCHEZ, A., y MATILLA, J. A. (1975), Manual práctico de corrección fonética del español, Madrid, SGEL.

cha utilidad que el profesor tuviera un conocimiento, aunque fuera somero, de las peculiaridades fonéticas y fonológicas de la(s) lengua(s) de sus alumnos, con lo que se facilitaría el análisis contrastivo entre ambas lenguas, permitiendo al profesor descubrir anticipadamente aquellos sonidos que van a presentar mayor dificultad.

B) En segundo lugar nos deberíamos ocupar de la producción. Los alumnos deberán repetir frases que contengan el sonido estudiado, para ir habituándose a su articulación dentro de la cadena hablada. En ningún caso deberíamos restringirnos a la repetición de los sonidos aislados.

C) Finalmente, su utilización en los diferentes contextos de comunicación, independientemente de que los objetivos de la actividad sean gramaticales o léxicos. En la práctica será donde el alumno espontáneamente se dará cuenta de lo necesario que es pronunciar correctamente para que la comunicación no se rompa.

En el proceso de aprendizaje de la fonética española siempre se ha partido de la enseñanza de los elementales segmentales, yendo de los sonidos a los elementos suprasegmentales. Quizás sea necesario invertir o, al menos, combinar ambas enseñanzas de forma paralela para que el alumno pueda primero *escuchar* la estructura que tiene la lengua meta. En primer lugar sería necesario enseñar al alumno a colocar el acento de intensidad, pues una colocación errónea no sólo supone un error de pronunciación, sino que incluso en algunos casos se convierte en un error semántico. Esta enseñanza se ve favorecida, como señala Benítez, *por un sencillo, pero inequívoco sistema de representación gráfica de la fuerza acentual (tilde). Ello hace que, dominando un sencillo sistema de reglas, la lectura de un texto en nuestra lengua esté algorítmicamente determinado*[9].

Lugar aparte merece la enseñanza de la entonación, de suma importancia en la adquisición de una segunda lengua. El principal problema que se le plantea al alumno es la imposibilidad de poder *imitar* o *reconocer,* tal y como sucede con los sonidos, un modelo. Como señala Cantero, los estudiantes de E/LE:

> ...*dejan de lado la llamada entonación prelingüística, mediante la cual se integran las unidades fónicas del discurso de tal modo que permiten su comprensión. Justamente es la entonación prelingüística la barrera que se interpone entre nuestros alumnos y la comprensión auditiva de los discursos de sus interlocutores nativos*[10].

---

[9] BENÍTEZ, P. (1990), «Fundamentos fonológicos de ejercicios de pronunciación: dos perspectivas diferentes», *Actas del I Congreso Nacional de ASELE,* Granada, Universidad de Granada, pág. 62.

[10] CANTERO, J. F. (1994), «La cuestión del acento en la enseñanza de lenguas», en J. SÁNCHEZ LOBATO e I. SANTOS GARGALLO (eds.): *Problemas y métodos en la enseñanza del español como lengua extranjera. Actas de IV Congreso Internacional de ASELE,* Madrid, SGEL, pág. 251.

El problema surge en el momento en el que el alumno articula los sonidos de su propia lengua, con lo que él cree que es la entonación de la lengua que está aprendiendo. La solución sería la enseñanza de las formas entonativas del español (interrogativas, exclamativas, enunciativas) para facilitar al alumno el posterior reconocimiento del ritmo característico de la entonación española. Es decir, será necesario partir de la presentación de diferentes variedades entonativas para que los alumnos logren diferenciarlas y discriminarlas.

No debemos olvidar uno de los problemas con los que se encuentra con frecuencia el profesor a la hora de llevar la fonética al aula: el aburrimiento que algunos alumnos dicen sentir ante este lento y quizás árido proceso de aprendizaje, cuyos frutos no parecen notarse a primera vista. De ahí que no queramos finalizar este artículo sin plantear una serie de propuestas lúdicas que nos permitan alejarnos del tedio y acercarnos a un ambiente más ameno y divertido, en el que el alumno se sienta desinhibido en el proceso de aprendizaje. El objetivo último será convertir la práctica de la fonética en algo que el alumno perciba como necesario y, sobre todo, válido desde el primer momento. La finalidad que perseguimos es que el alumno practique, dentro de un clima distendido, los conocimientos teóricos que le han sido presentados en clase. Ofrecemos a continuación, para ello, algunos juegos tradicionales adaptados a la enseñanza del español como lengua extranjera. Cada uno de los juegos presentados tiene como finalidad reforzar un aspecto determinado tanto de la fonética como de la fonología.

Actividad núm. 1

Tipo de actividad: Práctica semicontrolada de identificación.
Nivel: Todos los niveles.
Número de componentes: Pequeños grupos.
Duración: 15 ó 20 minutos.
Material: Fotocopias que proporciona el profesor.
Objetivos: Reconocer y discriminar determinados fonemas.

El desarrollo de esta actividad tiene como finalidad encontrar, en un tiempo establecido, palabras que contengan una realización determinada. Para ello se divide la clase en grupos y se entrega a cada uno una tarjeta que deben completar. Previamente ha sido elegida al azar una realización del fonema que se está estudiando. Se les indica que busquen palabras que lo contengan. Una vez completada la tarjeta, los alumnos deben crear frases o trabalenguas que contengan el mayor número posible de palabras con la realización. Gana el equipo que consiga formar una frase o un trabalenguas más largo. Penalizan las incorrecciones gramaticales o léxicas y, por supuesto, las fonéticas al ser leído en alto.

Ejemplo de tarjeta:

	Posición inicial	Posición intervocálica	Posición final
Fonema /r/			
Fonema /r̄/			

Algunas respuestas:

Los barcos romanos arriban a las costas/rumanas para robar ron/ y racimos de los raquíticos árboles rumanos [11].

Actividad núm. 2

Tipo de actividad: Práctica controlada de identificación.
Nivel: Medio/avanzado.
Número de componentes: Pequeños grupos.
Duración: 20 ó 30 minutos.
Material: Grupo de tarjetas que proporciona el profesor.
Objetivos: Agrupar fonemas atendiendo al modo o punto de articulación.

Se proporciona a los alumnos una serie de fichas [12] en las que se recoge la posición que adoptan los órganos articulatorios al realizar los diferentes fonemas, así como las grafías que les corresponden. Las fichas que recogen el punto de articulación son de diferente color que las que reflejan el modo. Los alumnos deben clasificar las fichas según los órganos que ellos creen que se utilizan en la articulación (dientes, labios, lengua....) o según el modo (fricativos, oclusivos....). Posteriormente cada grupo expone sus resultados y se corrigen.

---

[11] Material recogido entre los estudiantes de la asignatura de Fonética de los Cursos de Español para extranjeros de la Universidad de Alcalá, en el trimestre enero-marzo 1996.

[12] Las figuras que corresponden a las articulaciones están tomadas de NAVARRO TOMÁS, T. (1985), *Manual de pronunciación española*, Madrid, CSIC.

118

Ejemplo de fichas:

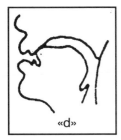

«d»

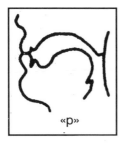

«p»

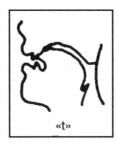

«t»

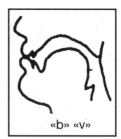

«b» «v»

Actividad núm. 3

Tipo de actividad: Semicontrolada.	
Nivel: Todos los niveles.	
Número de componentes: Pequeños grupos.	
Duración: 20 minutos.	
Material: Tarjetas con trabalenguas que proporciona el profesor.	
Objetivos: Practicar diferentes realizaciones dentro de la cadena hablada.	

La utilización de trabalenguas viene siendo una constante en la enseñanza de la fonética en las clases de E/LE. La complejidad que éstos llevan consigo, incluso para los propios nativos, puede parecer problemática en un primer momento; sin embargo, su utilización en clase es muy eficaz puesto que resultan motivadores y, sobre todo, divertidos. Para realizar la siguiente actividad es necesario dividir la clase en pequeños grupos repartiendo un taco de tarjetas a cada uno de ellos. Durante unos minutos cada componente del grupo lee y practica con sus compañeros el trabalenguas que le haya tocado. Transcurrido el tiempo de preparación salen los componentes de cada grupo que tengan la misma tarjeta para leerla de forma rápida. Su lectura es puntuada por el resto de equipos atendiendo al número de errores que hayan cometido. Por cada trabalenguas pronunciado correctamente se dan 2 puntos, si los compañeros consideran que la pronunciación es demasiado defectuosa pasa el turno al equipo siguiente. Gana el equipo que consiga más puntos.

Ejemplo de fichas:

FONÉTICA
Quien quiere querer y no quiere, sin querer vive queriendo y aunque no quiera, quiere, y aunque quiera nunca quiere, pues sólo quiere querer.

FONÉTICA
Paco, Peco, chico rico insultaba como un loco a su tío Federico. Y éste dijo: «Poco a poco Paco Peco, poco pico».

Actividad núm. 4

Tipo de actividad: Semicontrolada.
Nivel: Medio.
Número de componentes: Parejas.
Duración: 15 ó 20 minutos.
Material: Hoja de trabajo proporcionada por el profesor. Cinta con un poema o canción grabada.
Objetivos: Practicar diferentes realizaciones dentro de la cadena hablada.

La finalidad de la actividad que se propone a continuación es que los alumnos practiquen la pronunciación de diferentes realizaciones dentro de la cadena hablada. Cada pareja recibe dos partes diferentes, A y B, de un mismo poema grabado por el profesor en una cinta[13] o de una canción. El alumno que tiene la parte A debe dictar a su compañero aquellos versos que le faltan, para posteriormente copiar los que le dicta su pareja. Una vez que han completado correctamente el poema se escucha en clase la cinta con la finalidad de que se autoevaluen de forma individual. El poema elegido en esta ocasión pertenece a *Marinero en tierra* de Rafael Alberti.

Hoja de trabajo:

1. Completa el siguiente poema con los versos que te dicta tu compañero:

---

[13] Actualmente existen materiales audio, tal como *Alfaguara Audio* que puede utilizarse en lugar de una grabación hecha por el profesor.

A

A: Si mi voz muriera en tierra
B:
A: y dejadla en la ribera
B:
A: y nombradla capitana
B:
A: ¡Oh mi voz condecorada
B:
A: Sobre el corazón un ancla
B:
A: y sobre la estrella el viento.
B:

1. Completa el siguiente poema con los versos que te dicta tu compañero:

B

A:
B: Llevadla al nivel del mar
A:
B: Llevadla al nivel del mar
A:
B: de un blanco bajel de guerra
A:
B: con la insignia marinera
A:
B: y sobre el ancla una estrella
A:
B: y sobre el viento la vela.

Actividad núm. 5

Tipo de actividad: Práctica controlada.	
Nivel: Avanzado.	
Número de componentes: Pequeños grupos.	
Duración: 20 ó 30 minutos.	
Material: Hoja de trabajo. Cinta con hablantes peninsulares e hispanoamericanos.	
Objetivos: Acercar a los alumnos diferentes normas cultas del español.	

Con esta actividad queremos que los alumnos se habitúen a los diferentes tipos de español. Se escuchan cuatro audiciones [14] con diferentes muestras, tanto del español peninsular como del español de América. Oyen la primera audición e individualmente o por grupos señalan tres características que, a su modo de ver, tiene el hablante, y las escribirán en su hoja de trabajo. Se sigue el mismo procedimiento con las restantes audiciones. Una vez finalizadas éstas, cada estudiante o cada grupo expone las características que les han llamado la atención. Se establece un diálogo en clase con la finalidad de fijar los rasgos más representativos y evidentes para cualquier persona sin conocimientos fonéticos. Una vez que éstos están fijados, se pide a los alumnos que elijan seis y que los coloquen en la tarjeta de bingo que aparece en la hoja de trabajo. Los alumnos escuchan ahora pequeños extractos de las audiciones. Cada vez que oigan uno de los rasgos que han colocado en su cuadro de bingo, deben tacharlo. El primero que consiga tachar todos los rasgos es el ganador.

Hoja de trabajo:

1. A continuación vas a oír a una serie de hispanohablantes. Señala los rasgos que a tu modo de ver caracterizan su pronunciación:

1.
—
—
—

2.
—
—
—

3.
—
—
—

4.
—
—
—

2. Elige, de todos los rasgos que se han señalado en clase, cinco y colócalos en tu cartón de bingo. A continuación vas a escuchar breves

[14] Puede utilizarse como audición el material que se aporta en PALENCIA, R. (1995), *A la escucha,* Madrid, S. M, 1995.

trozos de las audiciones anteriores, comprueba si los hablantes presentan alguno de los rasgos que tú has escrito en tu cartón, y táchalo. La primera persona que tache todos los cuadros es el ganador.

Actividad núm. 6

Tipo de actividad: Práctica controlada.
Nivel: Elemental.
Número de componentes: Pequeños grupos.
Duración: 15 minutos.
Material: Fotocopias que proporciona el profesor.
Objetivos: Diferenciar palabras atendiendo a la posición que adopta el acento de intensidad.

La colocación del acento, como ya hemos señalado anteriormente, resulta problemática de ahí que la actividad siguiente tenga como finalidad practicarlo. El profesor proporciona a cada grupo una tarjeta que debe rellenar en un tiempo determinado atendiendo tanto a la posición que debe desempeñar el acento como a una serie de categorías que se le piden. Una vez completada la tarjeta, por turnos, cada grupo expone la suya. Por cada palabra correcta se otorgan 2 puntos siempre y cuando no haya sido repetida por ningún grupo, en caso de repetición cada grupo se suma un único punto.

Ejemplo de tarjeta:

	—	—	—
Ropa			
Animales			
Transporte			
Alimentos			
Países			

Actividad núm. 7

Tipo de actividad: Práctica libre.
Nivel: Todos los niveles.
Número de componentes: Individual.
Duración: Depende del número de alumnos.
Material: Grupo de tarjetas que proporciona el profesor.
Objetivos: Practicar la entonación.

Otro problema con el que se encuentra el alumno y que viene siendo olvidado es el de la entonación, de ahí que nuestra siguiente propuesta didáctica sea una actividad destinada a que los alumnos la practiquen. En primer lugar se pide a los alumnos que creen una frase, cuya extensión no debe ser muy grande. Seguidamente se entrega al azar a cada alumno una tarjeta en la que aparece reflejado un estado de ánimo determinado *(alegre, triste, enfadado...)*. Y por último se les pide que entonen la frase teniendo en cuenta el estado de ánimo que refleja la tarjeta que está en su poder. El resto de la clase debe adivinar cuál es el estado de ánimo.

Ejemplo de fichas:

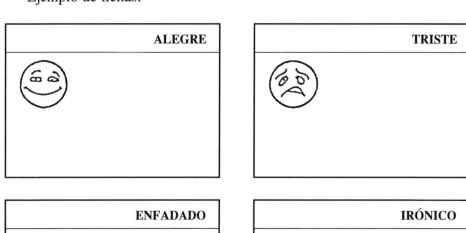

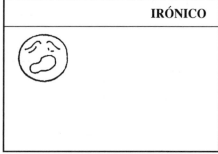

Actividad núm. 8

Tipo de actividad: Práctica libre.
Nivel: Superior.
Número de componentes: Pequeños grupos.
Duración: 45 minutos.
Material: Fotocopia con la transcripción del diálogo de una película. Cinta de vídeo.
Objetivos: Presentar muestras de lengua oral.

Se proporciona a cada grupo una hoja de trabajo en la que se incluye el diálogo de una secuencia de una película. Cada grupo debe representar el diálogo según su propio criterio, es decir, ellos, una vez leído el texto, deben contextualizarlo, imaginar la relación que tienen los personajes, su edad, su estado de ánimo, etc. Posteriormente se representa en clase y se graba en un cinta cada una de las intervenciones. Por último se proyecta la secuencia y se compara con las diferentes propuestas que hayan aparecido.

Hoja de trabajo:

1. Representa este diálogo[15] con tus compañeros. Imagina cuál es la relación que une a los personajes, cuál es su estado de ánimo, su edad, sus características personales, etc.

   Madre: *¿Qué, criticándome? Tú no le hagas caso, que yo estoy muy centrá... Ojalá tuviera los remos como la cabeza. ¡Huy, qué manos más frías tienes!*
   Leo: *Mamá ¿por qué no se pone la bata que le regale?*
   Madre: *Ah no, ésa es muy hermosa, ésa es para museo.*
   Leo: *Pero yo la compré para que se la pusiera.*
   Madre: *¡Qué no... ésa está mejor guardada...!*
   Rosa: *Parece una pordiosera. Me da vergüenza salir a la calle con ella...*
   Madre: *No hago nada a gusto de tu hermana. Tiene las mismas rarezas que mi hermana Petra, que en paz descanse... Eres igualica, igualica que ella...*

---

[15] El fragmento que presentamos pertenece a la película *La flor de mi secreto*, de Pedro Almodóvar.

125

Rosa: *¡Usted sí que ha salido a su hermana y a sus tías! ¡Y a su abuela!*

Madre: *¿Y a quién más?*

Leo: *¡Por Dios, dejad nuestros genes en paz!*

Actividad núm. 9

Tipo de actividad: Controlada.
Nivel: Superior.
Número de componentes: Parejas.
Duración: 30 minutos.
Material: Fotocopia con la transcripción de un texto. Cinta.
Objetivos: Señalar y delimitar dentro de la cadena hablada las curvas de entonación de la frase.

Nuestra propuesta didáctica se cierra con una actividad destinada a la práctica de los elementos suprasegmentales dentro de la cadena hablada. Se divide la clase en parejas y se entrega a cada una de ellas la transcripción sin ningún tipo de puntuación ni de acentuación de un texto que posteriormente van a escuchar. Los alumnos deben marcar —según su opinión— las palabras en las que recae el acento así como el tipo de entonación ascendente, descendente... de las frases. Una vez terminado el ejercicio cada pareja lee su texto, teniendo en cuenta su propia interpretación, y se establece un debate para justificar el porqué de su elección.

Hoja de trabajo:

1. ¿Cuál sería a vuestro modo de ver la entonación y el tono de este texto? Marcadlo:

    España siempre es España que demonio. En España la existencia es mas sabrosa se le saca el jugo a lo poco que uno puede tener ahorrado Y en cuanto a comidas hombre ahi si que ni comparacion. Alemania estara todo lo adelantada que se quiera pero donde se pongan unos buenos chorizos de Cantimpalo una paella... España de mi corazon [16].

---

[16] El fragmento presentado pertenece a *El Rapto,* de Francisco Ayala.

Nos gustaría que nuestro artículo hubiera despertado en los profesores de E/LE la necesidad de llevar al aula la enseñanza de la fonética de un modo más asiduo y menos puntual, como hasta hora parecía ser. Nuestra propuesta se concreta en un aspecto que desde el principio hemos querido dejar claro: la necesidad de incorporar la enseñanza de la fonética al proceso de aprendizaje de E/LE con el protagonismo que merece, más allá de la posición secundaria que hasta este momento ha tenido.

Bibliografía

ALVAR, M. (1990), «La lengua, los dialectos y la cuestión de prestigio», en F. MORENO (comp.), *Estudios sobre variación lingüística,* Alcalá, Universidad de Alcalá.

BENÍTEZ, P. (1990), «Fundamentos fonológicos de ejercicios de pronunciación: dos perspectivas diferentes», *Actas del I Congreso Nacional de ASELE,* Granada, Universidad de Granada.

BOWEN, T., y MARKS, J. (1991), *The pronunciation book,* Londres, Logman.

CANTERO, J. F. (1994), «La cuestión del acento en la enseñanza de segundas lenguas», en J. SÁNCHEZ LOBATO e I. SANTOS GARGALLO (eds.), *Problemas y métodos en la enseñanza del español como lengua extranjera. Actas del IV Congreso Internacional de ASELE,* Madrid, SGEL.

CELCE-MURCIA, M. (1987), «Teaching pronunciation as comunication», en J. MORLEY (ed.), *Current Perspectives on comunication,* Washington, TESOL.

HART, J. (1990), *A perceptual study of intonation,* Cambridge, Cambridge University Press.

MALMBERG, B. (1986), *La fonética,* Buenos Aires, Eudeba.

LADO, R. (1957), *Lingüistics across cultures,* Ann Arbor, University of Michigan Press.

PALENCIA, R. (1995), *A la escucha,* Madrid, S.M.

POCH OLIVÉ, D. (1992), «The rain in Spain...», *Cable,* 5, págs. 5-9.

QUILIS, A., y FERNÁNDEZ, J. A. (1975), *Curso de fonética y fonología españolas para estudiantes angloamericanos,* Madrid, CSIC.

SÁNCHEZ, A., y MATILLA, J. A. (1975), *Manual práctico de corrección fonética del español,* Madrid, SGEL.

SÁNCHEZ, A. (1987), *El método comunicativo y su aplicación a la clase de idiomas,* Madrid, SGEL.

SÁNCHEZ, A. (1992), *Historia de la enseñanza del español como lengua extranjera,* Madrid, SGEL.

SILES ÁRTES, J. A. (1994), *Ejercicios prácticos de pronunciación de español,* Madrid, SGEL.

TOMÁS NAVARRO, T. (1985), *Manual de pronunciación española,* Madrid, CSIC.

Historia del Arte Español

JESÚS ESPINA NUÑO   MIGUEL MORÁN TURINA

Breve panorámica de la evolución del arte español
desde la prehistoria hasta nuestros días.

Se dirige a estudiantes extranjeros de lengua
y civilización españolas.

Utiliza un lenguaje
claro y sencillo
(nivel intermedio),
pero preciso
y bien documentado.

El texto se apoya en
reproducciones a color
de las obras
más significativas
del arte español.

La presentación sigue
un orden cronológico,
pero dentro de una visión global sintética.

Un glosario final recoge y explica los términos
específicos más usuales en la historiografía
del arte español.

SOCIEDAD GENERAL ESPAÑOLA DE LIBRERÍA, S.A.

Música, maestro...
Trabajando con música y canciones
en el aula de español

Javier Santos Asensi
E.O.I. Oviedo

Es ciertamente difícil escapar al ámbito de lo musical en el mundo contemporáneo. Es mucho más que una manifestación artística, es un fenómeno cultural que no conoce fronteras y que actúa, por una parte, como reflejo de nuestras actitudes y convicciones personales, y por otra, como espejo de la manera de sentir y relacionarse de una sociedad en una época determinada.

El interés que ya desde hace años ha puesto de manifiesto un buen número de estudiantes (sobre todo los más jóvenes) y no pocos profesores en el uso de la música como instrumento de expresión y comunicación de experiencias y sentimientos propios y de una comunidad (y por lo tanto de adquisición lingüística), no ha hecho sino aumentar en los últimos años. Y sin embargo, a pesar de este creciente interés y del marco curricular favorable a la plena incorporación de aspectos culturales en el aula, persisten los prejuicios contrarios al uso de música y canciones en el aula.

Algunos profesores lo descartan como pérdida de tiempo, como distracción del programa o libro de texto a seguir, o simplemente como una falta de rigor y seriedad académica. Algo de razón no les falta. Aunque lo lúdico, el disfrute de la actividad académica no deja de ser en sí un objetivo deseable en nuestras aulas, es imprescindible que racionalicemos el uso de la música en la clase, que establezcamos los puntos de conexión entre la siempre grata experiencia de escuchar y cantar, y el uso comunicativo de la lengua. Y es que la cultura, como la lengua, tiene que utilizarse en el aula con un propósito definido: la comunicación de experiencias, sentimientos e información.

1. El potencial didáctico de la música y las canciones

Pero ¿qué es lo que, en definitiva, hace de la música y las canciones excelentes textos y pretextos para su explotación didáctica?

- Está claro que la música despierta un interés positivo entre los estudiantes. Y es que la tremenda carga emocional presente en las canciones, con sus referencias a protagonistas, tiempo o lugar, permiten que cualquiera que las escuche pueda identificarse con ellas.
- Ofrecen también múltiples posibilidades de integración en temas de actualidad cultural (el mundo de los jóvenes, relaciones humanas, marginalidad y discriminación, consumismo, violencia, preocupación medioambiental, etcétera) e incluso de contenidos de otras áreas curriculares (especialmente del área de la Literatura, la Música y las Ciencias Sociales, Geografía e Historia).
- La industria musical, con asombrosas cuotas de mercado en todo el mundo, facilita, por otra parte, la aparición de una ingente cantidad de materiales auténticos de todo tipo (impresos, audiovisuales y multi-media), siendo muchos de ellos documentos muy breves y de fácil explotación.
- Pero, además, las canciones constituyen en sí mismas auténticos vehículos de información lingüística, que permiten la explotación en el aula de múltiples niveles lingüísticos: desde el plano fónico hasta el sintáctico y léxico-semántico, sin olvidar el textual, auténtico punto de partida para el estudio de la lengua.
- Y todavía nos queda una razón más, quizás la más poderosa de todas para entender el alto potencial didáctico de las canciones: son pegadizas y fácilmente memorizables. Murphey desarrolló su investigación y disertación doctoral en torno al fenómeno que bautizó como *the song got stuck in my head* (se me pegó la canción), una forma de *ensayo involuntario* de versos, estrofas o canciones que explicaría por qué ciertas canciones con las que de una u otra forma nos identificamos, son tan pegadizas, y cómo, además, las canciones podrían activar el mecanismo de adquisición lingüística al que se refería Chomsky.

2. Materiales y recursos del ámbito musical

La extraordinaria riqueza de materiales y recursos que genera la industria musical no se ha traducido, al contrario de lo que ocurre en otras lenguas como la inglesa, en una variada oferta de materiales didácticos preparados para el uso de la música y canciones en la clase. Más bien estos materiales son escasos. Al margen de los tímidos intentos, de la mano principalmente de distintas agencias públicas, es difícil encontrar materiales comercializados destinados específicamente a la didáctica del español.

Resulta, por lo tanto, imprescindible que aquellos profesores interesados en el uso de la música en el aula, diseñen sus propias actividades, tareas y unidades didácticas adaptándolas a los niveles, necesidades e intereses de sus propios estudiantes. El punto de partida para ello serán los materiales auténticos.

TABLA 1. *Materiales auténticos del mundo de la música*

Audio-visuales y Multimedia
• Casetes, discos de vinilo y compactos. Recopilaciones. • Vídeos musicales. • Karaoke. • Películas musicales o ambientadas en torno al mundo de la música (estrellas, etcétera). • Grabaciones de radio o televisión: Reportajes, entrevistas, programas de actualidad musical o de vídeos musicales, retransmisiones de conciertos. • Grabaciones de segmentos publicitarios con soporte musical. • Fotos y carteles, dibujos y caricaturas de los artistas, locales y ambientes musicales. • CD Rom dedicado a artistas y su obra.
Impresos
• En periódicos, revistas de actualidad y revistas y fanzines especializados: Reportajes, artículos de crítica musical, perfiles biográficos, entrevistas, encuestas, reseñas de novedades discográficas, agenda de conciertos, tablas de ventas y popularidad, buzón y anuncios, publicidad de lanzamiento de discos o de conciertos. • Libros sobre el mundo de la música y sus protagonistas. • En los estuches, cajas y cubiertas de discos y cassettes: Letras de las canciones, biografías de los intérpretes, comentarios contextuales de las canciones, fotografías y dibujos, etcétera. • Carteles anunciadores y entradas de concierto. • Catálogos de venta por correo y Guías de música. • Anuarios de música (*El País,* etcétera).
«Realia»
• Instrumentos. • Mercadería de los grupos y acontecimientos musicales: camisetas, broches, pegatinas, etcétera.

3. El lenguaje de las canciones

De entre todos estos materiales auténticos, las canciones en sí, como textos, son sin duda los más interesantes. Es justo entonces que la correcta comprensión y producción de textos musicales (canciones, estribillos, versos o títulos) sea el objetivo prioritario del diseño de actividades. Para ello, necesitamos sensibilizar a nuestros alumnos respecto a los elementos lingüísticos y extralingüísticos que dan coherencia y cohesión a las canciones:

- Uso predominante de pronombres y referencias pronominales de 1.ª y 2.ª persona (*Yo* y *Tú*) sin especificación clara del sexo o la persona a la que se refieren.
- Escasas referencias a la situación concreta: tiempo, lugar.
- Uso frecuente de imperativos, apelativos, exclamaciones y preguntas directas.
- Oraciones y frases muy cortas y en ocasiones incompletas; frecuente acumulación de versos en yuxtaposición, sin una conexión explícita. Concisión y brevedad a la hora de:

— Describir una situación, hecho o personaje.
— Evocar una escena o sentimiento.
— Contar una historia.
— Polemizar sobre un hecho o situación social.

- El amor, en sus múltiples interpretaciones, como tema predominante.
- Uso de registros poéticos, coloquiales, vulgares, argot de los jóvenes y, en general, de formas más próximas al lenguaje conversacional e informal.
- Uso de palabras, giros y expresiones que evocan con facilidad sensaciones, sentimientos e ideas. Para ello, las canciones toman licencias lingüísticas similares a las de los textos poéticos: símiles, metáforas, personificaciones, etcétera.
- El ritmo de muchas canciones, al igual que el de los poemas modernos, radica principalmente en las repeticiones, de las cuales el coro o estribillo quizás sea la más notable.

— Paralelismos sintácticos; repetición de palabras, expresiones e ideas; variaciones estilísticas.
— Aliteraciones, rimas, asonancias, esquemas acentuales y silábicos.

Gammon alude a tres clases diferentes de canciones atendiendo al tipo de discurso predominante:

1. *Narrativas:* Canciones que incorporan acción y la transición de un estado a otro.

2. *Líricas:* Canciones que expresan un estado o una relación, pero en las que no tiene lugar acción o cambio de estado.
3. *Situacionales:* Narrativa múltiple describiendo una serie de situaciones con un elemento común, normalmente expresado en forma de estribillo u otra forma de repetición.

Con frecuencia nos encontraremos, dentro de una misma canción, fragmentos que nos remiten a diferentes tipologías textuales. Además de los arriba mencionados, no es infrecuente encontrarse textos descriptivos, conversacionales o epistolares en las canciones. Ello, unido a su brevedad, las convierte en excelentes modelos discursivos, además de candidatos óptimos para las actividades de manipulación textual.

4. Conversión de las canciones en actividades didácticas

Duff y Maley (1990) ofrecen, a propósito de los textos literarios, una tipología de técnicas de manipulación textual de gran utilidad para la elaboración de actividades didácticas. El cuadro que sigue está directamente inspirado en dicha tipología, pero enfocado a la manipulación de las letras de las canciones.

TABLA 2. *Técnicas de manipulación textual para el diseño de actividades*

1. Reconstrucción
Los textos se presentan de forma alterada o incompleta. El estudiante los restaura a su forma original: • Mezclar palabras, líneas, versos o párrafos en la canción.   • Presentar sólo el final y/o principio de una canción. Los estudiantes predicen o crean lo omitido.   • Omitir total o parcialmente la puntuación, distribución en estrofas.   • Intercalar trozos de dos o más canciones. Los estudiantes las separan.   • Eliminar de la canción determinados elementos, dejando huecos (vocabulario temático, palabras gramaticales, conectores, categorías léxicas —adjetivos, nombres, etcétera—).
2. Reducción
Los estudiantes descartan ciertos elementos del texto: • Suprimir elementos gramaticales: adjetivos, adverbios, frases preposicionales, etcétera.   • Reducir progresivamente un texto, párrafo o frase nominal compleja, eliminando una palabra o frase de cada vez, cuidando de mantener el sentido y la corrección gramatical de cada versión.   • Separar los pasajes descriptivos, referencias locales o temporales, etcétera.

3. Expansión

Los estudiantes añaden elementos a un texto, expandiéndolo:
- Insertar elementos gramaticales, tales como adjetivos y adverbios.
- Incluir pasajes descriptivos, narrativos, comentarios, etcétera, en la canción.
- Añadir un suceso o expandir un hecho o descripción marginal.
- Expandir una canción narrativa añadiendo lo que ocurre antes o después.
- Agregar uno o más versos o líneas a la canción.
- Añadir pies de página, aclaraciones o notas ficticias a la canción.
- Sustituir determinadas palabras de la canción por su definición.

4. Sustitución

Los estudiantes eliminan elementos, sustituyéndolos por otros:
- Cambiar los verbos activos en formas pasivas.
- Reemplazar un tiempo verbal dominante por otro.
- Parafrasear frases hechas, dichos populares, refranes, etcétera.
- Buscar sinónimos o antónimos para tantas palabras como se pueda.
- Cambiar el género del personaje de la canción.
- Cambiar el punto de vista de primera a tercera persona, etcétera.
- Transformar el poema o canción en prosa, sustituyendo imágenes por lenguaje más familiar.
- Cambiar el tono de los comentarios del autor, los pasajes descriptivos, los sentimientos, etcétera, de optimista a pesimista, de ajeno a comprometido, de entusiasta a cínico, etcétera.

5. Emparejamiento

Búsqueda de la correspondencia entre dos grupos de elementos:
- Principios y finales de varias canciones.
- Títulos con pasajes, citas, principios o finales de sus canciones.
- Títulos o fragmentos de la canción, con fotografías o dibujos.
- Palabras descriptivas con el personaje de la canción.
- Líneas o versos con posibles explicaciones para los mismos.
- Canciones o fragmentos con extractos musicales.
- Fragmentos o líneas con lagunas en la letra de la canción.
- Piezas instrumentales con determinados estados de ánimo o con fragmentos de canciones.
- Piezas instrumentales con títulos de películas, series televisivas, anuncios, etcétera.

6. Cambio de formato

Transferencia de la información de la canción a un nuevo formato:
- La información se transfiere a distintos tipos de representaciones visuales: gráficos, mapas, diagramas, fotografías, dibujos, etcétera.
- Usar la información para diseñar publicidad, carteles, collages, etcétera.
- Crear carteles de Se busca, obituarios, informes médicos, diarios, etcétera, para los personajes que aparecen en la canción.
- Transformar el tipo de texto: cartas en narraciones, situaciones en conversaciones, conversaciones en narraciones, fragmentos reflexivos en cartas, narraciones en guiones cinematográficos o de radio.

7. Selección

Los estudiantes escogen de acuerdo a un criterio o propósito:

- Ofrecer varias posibilidades de parafrasear una canción, para que los estudiantes decidan cuál conlleva el sentido original del texto.
- Buscar en la canción una cita que sirva como título.
- Ofrecer varios fragmentos o canciones, para que los estudiantes decidan cuál es el más apropiado para un determinado propósito.
- Presentar varias canciones a concurso, junto con reglas para el mismo. Los estudiantes deciden y justifican la canción ganadora.
- Decidir qué extractos en una serie respiran sentido literario.
- Dar a los estudiantes tres extractos de varias canciones para que decidan qué fragmento no pertenece a la canción.

8. Jerarquización

Se ordena un grupo de canciones de más a menos apropiadas para un determinado propósito:

- Ordenar las canciones o fragmentos de acuerdo a su lenguaje más o menos formal, literario, contemporáneo, riqueza de vocabulario, complejidad gramatical, facilidad de comprensión, etcétera.
- Ordenar canciones más apropiadas para un anuncio, boletín de noticias, una campaña electoral, etcétera.

9. Comparación y contraste

Señalar similitudes y diferencias en dos canciones de temática parecida:

- Discutir y decidir qué canción es la más emotiva, la que usa un lenguaje más colorista, imágenes poéticas, estructuras más complejas, etcétera.
- Comparar las canciones buscando palabras y expresiones comunes en ambas, sinónimos o paráfrasis; adjetivación, uso de tiempos y formas verbales, etcétera.
- Discutir las diferencias en puntos de vista, concepciones ideológicas, éticas o morales.
- Comparar el efecto de la música, dicción e instrumentación a la hora de conllevar un significado, exponer una idea o sentimiento, etcétera.

10. Análisis

Estudio detenido de la canción, sus elementos y propiedades:

- Contar en la canción el número de artículos definidos e indefinidos, sustantivos acompañados o no de adjetivos, longitud media de los versos, número de estructuras subordinadas, etcétera.
- Explorar el empleo que se hace en la canción de palabras de uso habitual.
- Preparar una lista de las palabras formales e informales.
- Entresacar todas aquellas palabras relacionadas con el tema.
- Buscar las palabras o expresiones clave de la canción.
- Analizar ejemplos de imaginería poética, ironía, intención del autor.
- Estudiar primero ideas o afirmaciones explícitas, para después aventurar inferencias, connotaciones.
- Analizar la instrumentación de la canción y el efecto que se consigue.
- Reflexionar sobre la adscripción de la canción a un determinado estilo o sobre los elementos que coge prestados de distintos estilos.

5. Uso central y periférico de la música en el aula

Uno de los temas de mayor conflicto a la hora de determinar el uso de la música en el aula es el de la incorporación de las actividades deseadas al proyecto curricular del departamento o a la propia programación de aula. Los diferentes programas (cursos en el extranjero, cursos de verano, seminarios y cursos monográficos de lengua y cultura, etcétera) y directrices curriculares condicionan el tipo de actividades que se van a desarrollar con la música.

Aun así, el profesor cuenta con un abanico de posibilidades que va desde las actividades complementarias a las unidades didácticas. La música y las canciones pueden emplearse, bien como piezas centrales de la comunicación en el aula, bien como medio para enfatizar o reforzar distintos aspectos del proceso de adquisición lingüística o cultural.

1. **Actividades complementarias o de apoyo.** Actividades que aportan práctica extraordinaria de elementos lingüísticos o culturales, o bien que facilitan el desempeño de las tareas propuestas en el aula.

   a) *Actividades de introducción, repaso y refuerzo* de funciones, estructuras gramaticales, aspectos fónicos, vocabulario, etcétera.

   b) *Actividades ilustrativas.* Ejemplifican e ilustran aspectos culturales contemporáneos e históricos.

   c) *Actividades de enganche y enlace,* que relajan al estudiante después de un periodo intenso de trabajo, o bien captan su atención antes de comenzar una nueva actividad.

A este primer grupo pertenece un buen número de actividades tradicionales del tipo: rellenar los huecos en una canción, ordenar segmentos, analizar elementos y categorías lingüísticas, tanto en el plano fónico como en el escrito, cuestionarios de comprensión lectora, distintas formas de dictados, juegos de palabras, etcétera.

2. **Actividades y tareas comunicativas.** Actividades diseñadas con el objeto de servir de vehículo para el intercambio comunicativo en parejas o grupos. Ofrecen práctica significativa en las cuatro destrezas básicas de la lengua. Trabajo por tareas, dramatizaciones, proyectos y simulaciones son algunas de las técnicas más eficaces para proporcionar situaciones y vacíos de información que favorecen la práctica comunicativa.

TABLA 3. *Ejemplos de actividades que potencian el intercambio comunicativo*

Simulaciones y dramatizaciones

La abundancia de pronombres y referencias pronominales de 1.ª o 2.ª persona, de imperativos y preguntas, apunta al potencial altamente dramático de las canciones:

- Creación y escenificación de guiones dramáticos a partir de canciones narrativas.
- Entrevistas a solistas y bandas, reales o simuladas.
- Sesiones de doblaje y karaoke de canciones bien conocidas, etcétera.
- Diseño, puesta en escena y rodaje de vídeo-clips musicales, anuncios publicitarios, etcétera.

Puestas en común, discusiones, toma de decisiones, exposición en público

*La propia **dinámica de grupos en el aula** provoca siempre las situaciones comunicativas más reales, y por tanto las mejores oportunidades para la práctica comunicativa:*

- Temas controvertidos de interés humano o actualidad contemporánea.
- Gustos y preferencias de canciones, artistas, ambientes y hábitos musicales.
- Tipificación de los géneros musicales; relación y derivación entre ellos, etcétera.

Indagación e investigación del entorno

*Del área de los **estudios sociales** es fácil incorporar a la dinámica docente las diferentes técnicas de indagación del entorno (clase, centro, barrio, ciudad, país):*

- Observación y recogida de datos y materiales del entorno.
- Encuestas de opinión personal, de grupos sociales, etcétera.
  - — Hábitos musicales (momentos, lugares, medios).
  - — Gustos y preferencias musicales (artistas, géneros y estilos).
- Diseño de cuestionarios y entrevistas.
- Tabulación de datos recogidos y puesta en común de conclusiones.
- Elaboración y exposición de estudios e informes (con apoyo audiovisual).

Proyectos de larga duración

*De los **medios de comunicación** y de la **industria musical** extrapolamos nuevos formatos y posibilidades de práctica comunicativa con un propósito bien definido. Estos proyectos son de mayor complejidad y duración. Exigen una preparación y secuenciación mucho más cuidada. Pueden, además, englobar y dar sentido a todas las actividades musicales desarrolladas en el aula y fuera de ella a lo largo del año:*

- Elaboración de guiones radiofónicos o televisivos. Grabación en audio o vídeo de los programas. Las radio-fórmulas (*RNE-3, Cadena 100, Cadena Dial, Cadena 40 principales, M-80, Radiolé, Sinfo Radio u Onda 0-Música*) y los programas musicales en las distintas cadenas de TV, ofrecen un valioso muestrario de formatos y modelos que servirán de fuente de inspiración para los alumnos.
- Diseño y publicación de una revista o fanzine musical. De nuevo la prensa especializada (*E.M.G., Factory, Rock de Lux, Ruta 66, Super Top, Rock'n'Roll Popular, Mega Metal, Cuadernos de Jazz o Ghaita*) ofrece diferentes modelos de formato, ideas para la creación de secciones, etcétera. Los fanzines, revistas más alternativas en su estética y sus contenidos, y publicadas con menos medios, tienen un mayor predicamento entre los jóvenes.

- Grabación de cassettes que recojan la selección de las canciones más populares de la clase y que podrían incluir el diseño de las carátulas, estuches y carteles de publicidad para su *lanzamiento* comercial. Éstos incluirían letras, información sobre los grupos, etcétera.

Recreación y manipulación de canciones

La manipulación creativa de textos musicales ofrece, como se aprecia en la tabla 2, innumerables posibilidades de actividades. La creación en grupo, negociada y participativa, elimina en gran parte miedos, complejos y frustraciones individuales, a la vez que impulsa el intercambio comunicativo en un contexto real y significativo.

3. **Unidades temáticas** que incorporan una secuencia de actividades y tareas en torno a uno o varios centros de interés, los cuales dan cohesión y sentido a todas ellas. Además de servir como vehículo para potenciar la comunicación entre los estudiantes en el aula, centran su atención en distintos aspectos de la cultura musical de España y los países hispanoamericanos. En ocasiones es oportuno integrar, junto a los contenidos temáticos musicales, otros pertenecientes a otros campos socio-culturales. Éstos que siguen son algunos de los centros temáticos de interés que se sugieren:

- La Juventud y sus músicas.
- Cantautores de la Transición.
- Transición y Movida.
- El S. xx a través de sus músicas.
- Música y Poesía.
- Fusión musical y mestizaje socio-cultural de los 90.
- Música, minorías y marginalidad.
- Nuevos flamencos, nuevos gitanos.

6. Actividades para el aula: guía del profesor

Pero volvamos al principio. Nadie duda a estas alturas del poder de atracción que la música ejerce sobre todos nosotros, y, cómo no, sobre nuestros estudiantes. Trabajar con música y canciones es, en la mayoría de los casos, una actividad que relaja y divierte, y que, por lo tanto, desbloquea miedos y tensiones y genera energía que nos ayudará positivamente en la consecución de aquellos objetivos que nos propongamos.

Habida cuenta de las limitaciones de espacio, se propone apenas un puñado de actividades que sirvan como exponentes de las múltiples posibilidades lúdicas y didácticas que el mundo de la música y las canciones nos ofrece. Agruparemos estas actividades en dos bloques:

A) **Al pie de la letra:** Actividades que explotan sólo las letras de las canciones.

Más allá de las actividades tradicionales de comprensión auditiva y lectora, las letras de las canciones, textos breves y de marcada ambigüedad, se ofrecen como ningún otro tipo de discursos a la manipulación creativa de sus elementos. Si aprovechamos la carga emocional que aportan y revindicamos convenientemente el sentido lúdico de la lectura y la escritura, la escritura colectiva de canciones se convierte en un auténtico juego de descubrimientos y asociaciones impredecibles.

Objetivos:

- Lectura y apreciación de las letras de las canciones en español.
- Comprensión de los mecanismos lingüísticos que dan coherencia a las canciones: repeticiones y rimas.
- Sensibilización a las singularidades del lenguaje de las canciones: lenguaje coloquial y lenguaje poético.
- Creación individual y en equipo de fragmentos de canciones: títulos, versos y estribillos.

Destrezas lingüísticas:

- *Cada título con su estribillo* y *Como te lo digo:* lectura y correcta comprensión de canciones.
- *Mi última palabra, Tejedora de canciones* y *Entrevistas que dan la nota:* de la lectura a la producción escrita controlada.
- *Define tus propias canciones:* expresión escrita libre.

Tipo de actividades:

Todas ellas son aplicaciones lúdicas de las técnicas de manipulación textual.

1. *Cada título con su estribillo*

Actividad:	Reconstrucción y emparejamiento de canciones.
Nivel:	Elemental a Intermedio.
Tiempo:	20 minutos.
Agrupamiento:	Individual o parejas.

2. *Como te lo digo*

Actividad: Reformulación. Del lenguaje poético al común.
Nivel: Intermedio a avanzado.
Tiempo: 15 minutos.
Agrupamiento: Individual o parejas.

3. *Mi última palabra*

Actividad: Expansión de títulos.
Nivel: Principiante a intermedio.
Tiempo: 15 minutos.
Agrupamiento: Individual o parejas.

4. *Tejedora de canciones*

Actividad: Escritura de canciones a partir de versos.
Nivel: Intermedio a avanzado.
Tiempo: 15 minutos.
Agrupamiento: Parejas.

5. *Entrevistas que dan la nota*

Actividad: Diseño de una entrevista.
Nivel: Intermedio a avanzado.
Tiempo: 15 minutos.
Agrupamiento: Parejas.

6. *Define tus propias canciones*

Actividad: Escritura de canciones a partir de definiciones.
Nivel: Intermedio a avanzado.
Tiempo: 30 minutos a una clase.
Agrupamiento: Grupos de cuatro a seis alumnos.

Observaciones:

- La adaptación de estas actividades a niveles superiores o inferiores es fácil. No sólo depende de la dificultad lingüística de los fragmentos de canciones seleccionados, sino del tipo de instrucciones para la manipulación de los textos.
- Aunque ninguna de las actividades requiere la audición de las canciones, se recomienda su empleo.

B) **Déjate llevar por la música:** Actividades que sólo trabajan la música de las canciones.

Aunque estas actividades se preparan mejor con piezas instrumentales, también son aptas muchas piezas vocales. Lo importante es seleccionar canciones de ritmo pausado y sugerente, que evoquen ambientes etéreos y sensaciones positivas. Todas las actividades imaginables de este tipo parten de un principio básico: la música actúa como mecanismo desinhibidor, estimulando la imaginación y, por lo tanto, desbloqueando la creatividad de los estudiantes. La música, a la vez que relaja y facilita la concentración, evoca imágenes y recuerdos, sugiere ideas y sentimientos, invita a asociar realidades dispares o a la ensoñación y provoca reacciones de todo signo. No es poco a la hora de diseñar posibles actividades.

Objetivos:

- Sensibilizar a los estudiantes ante las peculiaridades del lenguaje musical y de su poder de sugestión.
- Desinhibir sus destrezas creativas orientándolas hacia la descripción de escenas o de acontecimientos.
- Desarrollar su imaginación y los hábitos de observación del entorno, a través de los cinco sentidos.
- Estimular la curiosidad hacia otras personas: comportamientos, personalidad y apariencia.

Destrezas lingüísticas:

- El punto de partida ya no es la lectura de textos escritos, sino la comprensión del lenguaje musical, no verbal, que orientará las actividades hacia la expresión oral y escrita.
- Descripción de situaciones humanas y descripción comparativa de acontecimientos culturales.

Tipo de actividades:

Inspiradas en las técnicas de la sugestopedia. Se trata de recrear mundos imaginarios o bien de proyectar nuestras propias experiencias y sentimientos dejándose llevar por la atmósfera sugerente de la música.

7. *Los mejores momentos de nuestras vidas*

Actividad:	describir situaciones.
Nivel:	intermedio.
Tiempo:	25 minutos.
Agrupamiento:	individual/parejas.

8. *Vámonos de concierto.*

Actividad: describir conciertos.
Nivel: avanzado.
Tiempo: 45 minutos a una clase.
Agrupamiento: individual/parejas.

Observaciones:

- Un alumno con buena dicción podría hacer las preguntas al resto de la clase. La actividad también se podría organizar en parejas, de forma que, alternativamente, uno hace las preguntas y el otro improvisa oralmente las respuestas mientras suena la música.
- La ficha de trabajo de *Vámonos de concierto* podría reciclarse fácilmente como ficha de investigación en una actividad de observación e investigación del entorno que tuviera como objetivo analizar el ambiente de un concierto musical. En este caso se sugiere complementar la actividad con una entrevista o encuesta para recabar la opinión de la audiencia y trabajadores, y con la recogida de materiales procedentes del concierto: publicidad, grabaciones, camisetas, etcétera.

Actividades de los tipos A y B, desarrolladas:

A) Al pie de la letra

¿Sabías que...?

- El **ritmo** de muchas canciones, como en los poemas modernos, se basa en:

— La **repetición** de palabras, esquemas gramaticales o ideas.
— La repetición de sonidos a partir de la última vocal acentuada de cada verso: sólo las vocales (**asonancias**) o vocales y consonantes (**rimas consonantes**).

Quitadme el mar con su viento blanco;   *Ahora vengo yo*
quitadme la guitarra, el limonero;   *a cantar sereno.*
quitadme de soñar, quitadme el cante;   *Ahora vengo yo*
dejadme la muchacha que yo quiero.   *aunque no sea moreno.*

- En las canciones se usan con mucha frecuencia **giros** y frases hechas, lenguaje **coloquial** e **informal**:

Disfrutar de lo lindo (= disfrutar mucho, giro coloquial).
Pa quien la cante (*Pa* = para, uso coloquial e informal).
Me flipa (= me asombra, me gusta, argot de los jóvenes).

142

- También es común el uso de **lenguaje poético**: comparaciones, metáforas, personificaciones, etcétera.

  Tan dura como el metal (= muy dura, comparación).
  La noche más larga (= la muerte, metáfora).
  *¿Por qué la luna es blancura/que **engorda** como **adelgaza**?* (= luna creciente o menguante, personificación).

1. Cada título con su estribillo

- Empareja fragmentos de canciones para formar estribillos.

Tú que tienes colores *que yo no sueño*	*Nadie puede abrir semilla* *en el corazón del sueño*
Carrito de la fortuna, *que poco tiempo* *a mí me duró*	*es una rumba callejera* *la canto pa quien la quiera*
Porque el negro es mejor que tú *no tiene malicia ni mal corazón*	*porque a ti te la entrego* *que no tienes ninguna*
El sueño va sobre el tiempo *flotando como un velero*	*es más bondadoso y más vacilón*
Que se caigan también *esos muros también*	*Tú que sabes palabritas* *que yo no entiendo*
Mi canción no es del cielo, *las estrellas, la luna*	*que allí estaremos todos* *para verlos caer* *cuando más a gusto estaba* *el eje se me partió*

- ¿Qué te ha ayudado a decidirte en cada caso?, ¿las rimas?, ¿las repeticiones de frases y palabras?
- Busca ahora los dos estribillos en cada uno de los grupos.

  a)

Paso la vida *mi mente está triste* *desconfía de tus socios* *me siento algo extraño* *pensando en lo bueno y lo malo* *mi cuerpo se agota* *cuando hables de negocios* *mi alma lo nota*	*Paso la vida* **pensando en lo bueno y lo malo** **mi mente está triste** **me siento algo extraño** **mi cuerpo se agota** **mi alma lo nota** **Desconfía de tus socios** **cuando hables de negocios**

143

b)

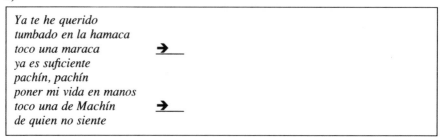

Ya te he querido
tumbado en la hamaca
toco una maraca   ➜ ___
ya es suficiente
pachín, pachín
poner mi vida en manos
toco una de Machín   ➜ ___
de quien no siente

c)

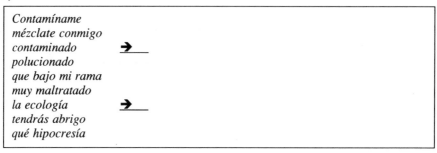

Contamíname
mézclate conmigo
contaminado   ➜ ___
polucionado
que bajo mi rama
muy maltratado
la ecología   ➜ ___
tendrás abrigo
qué hipocresía

d)

Veneno tomaba yo
que aquí no hay hueso
ay, perro flaco   ➜ ___
en un cuartito los dos
tómate un trago
¿qué tal va eso?   ➜ ___
veneno que tú tomaras

- Éstos son los títulos de las canciones con las que has estado trabajando a lo largo de la actividad. Busca los estribillos correspondientes.

	TÍTULO	INTÉRPRETE
1	**Gitanitos y morenos.**	Gato Pérez.
2	**Berlín 90.**	Taller.
3	**Lo bueno y lo malo.**	Ray Heredia.
4	**Contamíname.**	Pedro Guerra.
5	**Joaquín el necio.**	Albert Pla.
6	**Nana de los colores.**	Diego Carrasco.
7	**Adios.**	Marina Rosell.
8	**El limón.**	Patita Negra.
9	**A un perro flaco.**	Juan Perro.
10	**La leyenda del tiempo.**	Camarón/Lorca.

	TÍTULO	INTÉRPRETE
11	*Lo que me importa eres tú.*	*Kiko Veneno.*
12	*Hawai, Bombay.*	*Mecano.*
13	*Callejero.*	*Cara Oscura.*
14	*Arde el Amazonas.*	*Los Jaivas.*
15	*Canción de Navidad.*	*Silvio Rodríguez.*
16	*Y es ke me han kambiao los tiempos.*	*Ketama.*
17	*La noche.*	*Presuntos Implicados.*

2. Como te lo digo

- Explica el sentido de los siguientes fragmentos de canciones contemporáneas españolas.

❶ *Está muy bien eso del cariño, pero no me des **un dulce como a un niño.***	Kiko Veneno, «Respeto».	No sólo es dulzura el amor. También yo he probado el cariño y sus sinsabores.
❷ *Mi patria era la intemperie.*	Silvio Rodríguez, «Canción del trovador errante».	
❸ *La playa me hizo grano de arena.*	Silvio Rodríguez, «Casiopea».	
❹ *Quiero que las nubes blancas sean muy blancas y las negras, negras.*	Kiko Veneno, «Viento del poniente».	
❺ *La vida no es un **block cuadriculado,** sino una golondrina en movimiento.*	Joaquín Sabina, «Jugar por jugar».	
❻ *Bendita sea la boca que da besos y no traga monedas.*	Joaquín Sabina, «Jugar por jugar».	
❼ *Silvia tiene 15 años y una minifalda corta. Silvia **corta el aire** y no se corta.*	Pedro Guerrra, «Hechos de gente».	

- Busca otros ejemplos de estos usos lingüísticos en las canciones de los ejercicios 1 y 2.

3. Mi última palabra

- Una sola palabra bastaría para cambiar el significado de cualquier texto. Pruébalo tú mismo manipulando los títulos del último disco de *Esclarecidos*:

1. *Un instante.*
2. *Estoy esperando a mi amor.*
3. *Muertos.*
4. *En el medio del retiro.*
5. *El sabor de su aire.*
6. *Plaza de Callao.*
7. *Atándome.*
8. *En algún desierto.*
9. *Suerte.*
10. *Solo.*
11. *Viajar a la eternidad.*
12. *La fuerza de los débiles.*

- Modifica el sentido de los títulos añadiendo una o dos palabras. Puedes cambiar el orden de las palabras:

  Ni un instante.   *¿**Por qué** estoy esperando a mi amor?*

  *El aire **olvida** su sabor de **distancias**.*

- Si te fijas, parece que todos los títulos son frases incompletas. ¿Por qué no las acabas? Intenta que la última palabra del título rime con tu última palabra.
  Ejemplos:

  1. *Un inst**ante** me sobra para rob**arte***
  2. *Estoy esperando a mi am**or**
     montando bulla en el ascens**or***
  3. *Mu**ertos**
     están los que no arden en deseo;
     los que no buscan, mancos y tu**ertos***

146

4. Tejedora de canciones

- Aquí tienes nueve versos de canciones españolas. Escribe uno o más estribillos, usando por lo menos tres de los versos dados. Puedes añadir tus propios versos para dar coherencia al estribillo, pero no modificar internamente los tres versos seleccionados.

— *Quitarme quiero mi hábito de golondrina.*
Juan Perro, «Cozumel».
— *Vivir sin ti es dormir en la estación.*
Los Rodríguez, «Todavía una canción más».
— *Perdido en mi habitación.*
Mecano, «Perdido en mi habitación».
— *Paso la vida pensando en lo bueno y lo malo.*
Ray Heredia, «Lo bueno y lo malo».
— *Tengo que volar aunque sólo tenga un ala.*
Pata Negra.

— *La soledad es mala consejera.*
Patita Negra, «Mala consejera».
— *Con mi corazón yo suelo ir al lugar donde nací.*
El Último de la Fila, «Sin Llaves».
— *Sé que habrá un viento más para dejarme llevar.*
Presuntos Implicados, «Ícaro».
— *Te echo de menos, lo mismo que antes te echaba de más.*
Kiko Veneno, «Echo de menos».

---

5. Entrevistas que dan la nota

- Decidid en parejas a qué músico o grupo musical español o latinoamericano os gustaría entrevistar.
- Éstos son algunos títulos/fragmentos de canciones. Imaginad que son las respuestas de vuestro(a) artista o grupo entrevistado. Haced preguntas apropiadas para cada una.

Artista/Grupo entrevistado: ....

1. **Bueno, querida. Por ahí dicen que eres la más linda, la más hermosa. Y tú, ¿qué dices?**
   No me dicen linda, / ni tampoco hermosa, / me dicen la mala rosa.

2. **También dicen de ti otras cosas más íntimas, ¿te importa?**
   Palabras que pueden lastimar. / Palabras menos, palabras más.

3. **...?**
   Por la esquina del viejo barrio lo vi pasar / con el tumbao que tienen los guapos al caminar.

Artista/Grupo entrevistado: ....

4. ...?
    Bailar. / Pero bailar como los negros sin dejar de pensar.

5. ...?
    Porque darle alegría a tu cuerpo es cosa buena.

6. ...?
    Si no te das cuenta de lo que vale, / el mundo es una tontería,
    si vas dejando que se escape / lo que más querías.

7. ...?
    Vivamos el día a día / que mañana saldrá el sol.

- Dramatizad en parejas la entrevista frente al resto de la clase.

6. Define tus propias canciones

- Decidid en grupo el tema para una canción: una noche inolvidable, un encuentro, un viaje fantástico, un sueño, tus clases de español, el amor, la soledad, marginación e injusticia, racismo, competencia e insolidaridad, etcétera.
- Corta cinco pedazos de papel, y escribe en cada uno de ellos **una palabra** (sustantivo o infinitivo) relacionada con ese tema. Puede ser un objeto, una persona, una idea, una sensación o un sentimiento, tanto en singular como en plural. Pliégalos de forma que no se vea lo que has escrito y ponlos con los demás en un montón en el centro de la mesa.
- Una vez mezclados todos los pedazos de papel, cada participante escoge cinco y, sin leerlos, escribe en cada uno **una definición** de un objeto, persona, sensación, etcétera, relacionado con ese tema (las definiciones no necesitan responder a las palabras propuestas en la primera parte del ejercicio). Empieza cada una de ellas con **es / no es...**, **son / no son...** Cuando termines, devuelve tus papeles al montón.
- Estableced turnos para leer las palabras y las definiciones en cada uno de los papeles. Una persona en cada grupo tomará nota de todas las asociaciones.
- Finalmente, usando las imágenes más chocantes y divertidas, escribid una canción sobre el tema planteado. Para ello tendréis que decidir el orden de las asociaciones, así como la puntuación del texto, de forma que la canción tenga una coherencia básica. Podéis hacer ajustes sintácticos mínimos pero conservando las definiciones originales. ¿Sabríais utilizar elementos de repetición y rima para darle ritmo a la canción?

- Cantad o recitad vuestra canción a los otros grupos.
  Ejemplo: Una canción de amor.

			Es bucear y no tocar nunca el fondo,
Amor	*Amantes*		*es una extraña obsesión,*
			es el lugar donde habita el dolor,
Corazón	*Cariño*	*Abrazarle*	*es no tenerte cerca,*
			es como andar y a cada paso ser más distancia,
Beso	*Pasión*		*son los que se buscan,*
			son dos que se enredan la manta al cuello.
Separación	*Cuerpos*	*Soledad*	*Es el poso de la lluvia en tu boca,*
			es el órgano motor de nuestro organismo.

B) Déjate llevar por la música

7. Los mejores momentos de nuestras vidas

- Escucha la música. Cierra los ojos un momento y relájate. Déjate llevar... Estás en un lugar que te hace sentirte bien; es una situación muy agradable. Contesta brevemente a las preguntas que tu profesor te irá formulando.

En un lugar y un tiempo...	Solo o en compañía...
• *¿Dónde estás?* • *¿Es un espacio cerrado o abierto?* • *¿Cómo es el lugar?* • *¿Qué día de la semana es?* • *¿Es un día especial?* • *¿Es por la mañana, tarde o noche?*	• *¿Estás solo?* • *¿Con quién estás?* • *¿Qué estás haciendo?* • *¿Qué acabas de hacer?* • *¿Qué estás pesando en hacer?* • *¿Qué hacen los demás?*

Con los cinco sentidos...
• *¿Qué ves?, ¿Qué cosas te llaman la atención?*   • *Toca algún objeto cerca de ti. ¿Qué tacto tiene?*   • *¿Qué sonidos escuchas? ¿Son agradables?*   • *¿A qué huele? ¿Te gusta?*   • *Relaciona este momento con un sabor.*

• Escribe ahora un párrafo describiendo ese momento feliz.

8. Vámonos de concierto

• Escucha estas dos canciones. Son grabaciones de dos conciertos muy diferentes. Déjate llevar por la música e imagínate que estás en el medio del concierto. ¿Qué ambiente se respira? Contesta brevemente a las preguntas que tu profesor te irá formulando:

	Canción 1	Canción 2
En un lugar y un tiempo...		
• *¿Qué día de la semana es?* • *¿Es un día especial?* • *¿Es por la mañana, tarde o noche?* • *¿Es un espacio abierto o cerrado?* • *¿Es un lugar amplio o reducido?* • *¿Dónde está el escenario?* • *¿Está sentada o de pie la audiencia?* • *¿Dónde está la barra?*		
Sólo o en compañía...		
• *¿Has ido solo, o con amigos/as?* • *¿Cómo vas/vais vestidos?* • *¿Qué estás haciendo en estos momentos?* • *¿Qué has hecho antes del concierto?* • *¿Qué te gustaría hacer ahora mismo?*		
¿Qué tipo de ambiente?...		
• *¿Hay mucha gente en el concierto?* • *¿Qué tipo de gente? Sexo, edad, ropa.* • *¿Es gente abierta, o fría y distante?* • *¿Qué están haciendo?* • *¿Cómo crees que se lo están pasando?* • *¿Sientes curiosidad hacia ellos?* • *¿Qué sensaciones te inspiran?* • *¿Hay alguien que te llame la atención?* • *¿Qué otras cosas están ocurriendo?*		

	Canción 1	Canción 2
Con los cinco sentidos		
• *¿Qué cosas llaman tu atención?* • *¿Cómo es la decoración?* • *¿Y la iluminación?* • *¿Qué colores predominan?* • *¿Qué sonidos escuchas?* • *¿Puedes apreciar la música? ¿Qué ruidos interfieren con la música?* • *¿Puedes entenderte con alguien?* • *¿Hay algún olor que sobresalga?* • *¿Qué otros olores percibes?* • *Toca objetos cerca de ti. ¿Qué tacto tienen?*		

• Escucha de nuevo las canciones y rellena una ficha para cada una de ellas.

Y de la música, ¿qué me dices?...				
Es una música ❏ **muy**	alegre		triste	
	divertida		aburrida	
	viva, animosa		tranquila	
❏ **demasiado**	pegadiza		extraña	
	agradable		molesta	
	facilona		dura	
Es buena música **para**	escuchar en silencio y relajarse			
	escuchar en animada compañía			
	bailar sin parar			
	bailar con alguien que te gusta			
❏ Me gusta(n)	los ritmos		la voz	
❏ Me encanta(n)	las melodías		los coros	
❏ No me gusta(n) nada	las letras		las sensaciones	
	la guitarra ❏ la percusión ❏ el piano ❏ Otros instrumentos			

La letra…	dice cosas interesantes	
	no me interesa nada	
	ni la entiendo	

- Escribe ahora un breve artículo para un periódico comparando ambos conciertos. ¿Te han gustado? ¿Qué te ha llamado más la atención: el lugar, el ambiente o el espectáculo musical-visual? ¿Qué es lo que menos te ha gustado de uno y otro concierto? ¿A quién se los recomendarías?

Bibliografía

Duff, A., y Maley, A. (1990), *Literature,* Oxford, Oxford University Press.

Hernández, J. M., y Sepúlveda, F. (1993), *Diseño de unidades didácticas de lengua y literatura en la ESO. Un enfoque comunicativo basado en tareas,* Madrid, Cincel.

Krashen, S. (1983), «The Din in the Head, Input, and the Language Acquisition Device», *Foreign Language Annals,* 16, págs. 41-44.

Murphey, T. (1990), «The song stuck in my head phenomenon: a melodic din in the lad?», *System,* 18, págs. 53-64.

Murphey, T. (1990), *Song and Music in Language Learning. An analysis of pop song lyrics and the use of song and music in teaching English to speakers of other languages,* Bern, Peter Lang.

Murphey, T. (1992), *Music and song,* Oxford, Oxford University Press.

Murphey, T. (1992), «The discourse of pop songs», *TESOL Quarterly,* 26, págs. 770-774.

Osman, A., y Wellman, L. (1978), «Hey Teacher! How Come They're Singing in the Other Classes», *Collected Papers in Teaching ESL and Bilingual Education: Themes, Practices, Viewpoints,* págs. 115-13.

Oulipo (1973), *La litterature potentielle,* Galimard.

Rinvolucri, M. (1984), *Grammar games, cognitive, affective and drama activities for EFL students,* Cambridge, Cambridge University Press.

Santos, J. y otros (1994), «Músicas de España», *Materiales,* 16, Washington, Consejería de Educación.

Aproximación a una bibliografía sobre actividades lúdicas en el aula de E/LE

1. Materiales didácticos [1]

ALBURQUERQUE, R. (1990), *España canta. Canciones tradicionales,* Madrid, Servicio de Difusión del Español, Subdirección General de Cooperación Cultural, Ministerio de Cultura y Radio Nacional de España.

DOMÍNGUEZ, P.; BAZO, P., y HERRERA, J. (1991), *Actividades comunicativas. Entre bromas y veras*, Madrid, Edelsa.

GONZÁLEZ SÁINZ, T. (1995), *Para jugar,* Madrid, S.M.

LÓPEZ RUIZ, L. (1986), *Historietas y pasatiempos I,* Madrid, Edelsa.

— (1987), *Historietas y pasatiempos II,* Madrid, Edelsa.

MARTÍNEZ, M.ª, y PUJOL, M.ª A. (1986), *Láminas murales I (El juego en casa. El juego en el parque. Comprar vestidos. El baño. Ir a dormir),* Barcelona, Ediciones Casals.

— (1980), *Láminas murales II (Una casa. La playa. El barrio. Un día de lluvia. Un día de frío. El bosque. El campo. El puerto. El parque zoológico),* Barcelona, Ediciones Casals.

MIQUEL, L., y SANS, N. (1992), *De dos en dos. Ejercicios interactivos para la producción oral. Niveles básico e intermedio,* Madrid, Difusión.

NÚÑEZ, E. (1983), *Canciones para cantar,* Madrid, Edelsa.

PALENCIA, R. (1990), *Te toca a ti. 50 juegos para la práctica comunicativa de la lengua y cultura españolas,* Madrid, Servicio de Difusión del Español, Dirección General de Cooperación Internacional, Ministerio de Cultura.

PALENCIA, R., y HERRANZ, R. (1991), *Español con ordenador,* Madrid, Dirección General de Cooperación Cultural, Servicio de Difusión del Español, Ministerio de Cultura.

VILA, M., y BADÍA, D. (1992), *Juegos de expresión oral y escrita,* Barcelona, Editorial Graó.

---

[1] La selección que presentamos forma parte de un trabajo más amplio que ha sido publicado recientemente: I. VISEDO e I. SANTOS (1996): *Catálogo de materiales para la enseñanza del español como lengua extranjera,* Instituto Cervantes, Madrid.

VV.AA. (1988), *Canciones Populares españolas*, Santander, Universidad Internacional Menéndez Pelayo.

— (1992), *Juego didáctico de letras y palabras: La aventura de leer*, León, Ediciones Gaviota, S.L.

— (1993), *Juegos de cartas: Vocabulario*, Madrid, Spain Training Education Program, S.L.

— (1993), *Juegos de cartas: Estructuras gramaticales*, Madrid, Spain Training Education Program, S.L.

— (1994), *Juegos de cartas: Contrarios I (Español)*, Madrid, Spain Training Education Program, S.L.

— (1994), *Juegos de cartas: Contrarios II (Español)*, Madrid, Spain Training Education Program, S.L.

— (1994), *Juegos de cartas: Delante/Detrás (Español)*, Madrid, Spain Training Education Program, S.L.

— (1994), *Juegos de cartas: Lleno/Vacío (Español)*, Madrid, Spain Training Education Program, S.L.

— (1994), *Juegos de cartas: Dentro/Fuera (Español)*, Madrid, Spain Training Education Program, S.L.

— (1994), *Juegos de cartas: Largo/Corto (Español)*, Madrid, Spain Training Education Program, S.L.

— (1994), *Juegos de cartas: Arriba/Abajo (Español)*, Madrid, Spain Training Education Program, S.L.

— (1994), *Juegos de cartas: Viejo/Nuevo (Español)*, Madrid, Spain Training Education Program, S.L.

— (1994), *Juegos de cartas: Costumbres (Español)*, Madrid, Spain Training Education Program, S.L.

— (1994), *Juegos de cartas: Mi casa (Español)*, Madrid, Spain Training Education Program, S.L.

— (1990), *Baraja de cartas 1*, León, Everest.

— (1990), *Baraja de cartas 2*, León, Everest.

— (1990), *Baraja de cartas 3*, León, Everest.

— (1989), *Juegos de palabras I*, Irún, Stanley (2.ª edición, 1995).

— (1989), *Juegos de palabras II*, Irún, Stanley (2.ª edición, 1995).

— (1989), *Juegos de palabras III*, Irún, Stanley (2.ª edición, 1995).

— (1994), *Crucigramas didácticos I*, Irún, Stanley.

— (1994), *Crucigramas didácticos II*, Irún, Stanley.

— (1994), *Crucigramas didácticos III*, Irún, Stanley.

— (1989), *Mapa «La España de hoy»*, Madrid, Edelsa.

— (1993), *Situaciones de todos los días. Transparencias para practicar la gramática castellana*, Madrid, Spain Training Education Program, S.L. (16 transparencias en color y libro del profesor).

— (1993), *Pósters Murales. Temas: La casa - El cuerpo humano - Deportes - Medios de locomoción - Frutas y vegetales - Snack-Bar - Verbos - Adjetivos - Animales de granja y de compañía (Español)*, Madrid, Spain Training Education Program, S.L. (10 murales; 10 paquetes de fichas electromagnéticas y guía didáctica).

— (1993), *Elikit. Aprendiendo con juegos. Los animales*, Madrid, Spain Training Education Program S.L.

— (1993), *Elikit. Aprendiendo con juegos. La casa*, Madrid, Spain Training Education Program S.L.

— (1993), *Elikit. Aprendiendo con juegos. Comida*, Madrid, Spain Training Education Program S.L.

— (1993), *Elikit. Aprendiendo con juegos. Verbos*, Madrid, Spain Training Education Program S.L.

VV.AA. (1993), *Elikit. Aprendiendo con juegos. Ropa,* Madrid, Spain Training Education Program S.L.

— (1993), *Flip-Pósters (Español). Niveles principiantes e intermedio,* Madrid, Spain Training Education Program S.L. (20 pósters en color; rotulador; borrador y guía didáctica).

— (1993), *Flip-Pósters Plus (Español) Niveles intermedio y avanzado,* Madrid, Spain Training Education Program S.L. (20 pósters en color; rotulador; borrador y guía didáctica).

— (1993), *Pósters murales para los más pequeños. Temas: Mi cuerpo - Números - Mural de frutas - Animales 1 - Animales 2 - Colores - Trabajos - ¿Qué hora es? - Antónimos - Rasgos,* Madrid, Spain Training Education Program S.L.

— (1994), *Póster Abecedario (Español),* Madrid, Spain Training Education Program S.L.

— (1994), *Póster Anuncios (Español),* Madrid, Spain Training Education Program S.L.

— (1994), *Póster Caras (Español),* Madrid, Spain Training Education Program S.L.

— (1994), *Póster Números (Español),* Madrid, Spain Training Education Program S.L.

— (1994), *Póster Horas (Español),* Madrid, Spain Training Education Program S.L.

— (1994), *Póster Tiempo (Español),* Madrid, Spain Training Education Program S.L.

— (1994), *Hacer una historia I (Español),* Madrid, Spain Training Education Program S.L.

— (1994), *Hacer una historia II (Español),* Madrid, Spain Training Education Program S.L.

— (1987), *El camino magnético. 1 Gente en acción (materiales visuales),* Madrid, La Muralla.

— (1987), *El camino magnético. 2. La casa (materiales visuales),* Madrid, La Muralla.

— (1987), *El camino magnético. 3. La calle (materiales visuales),* Madrid, La Muralla.

— (1987), *El camino magnético. 4. El campo y la playa (materiales visuales),* Madrid, La Muralla.

— (1990), *El camino magnético. El supermercado (materiales visuales),* Madrid, La Muralla.

— (1992), *La escoba sabia. 1. El guardia urbano,* Madrid, La Muralla.

— (1992), *La escoba sabia. 2. El alfarero,* Madrid, La Muralla.

— (1992), *La escoba sabia. 3. El panadero,* Madrid, La Muralla.

— (1992), *La escoba sabia. 4. La enfermera,* Madrid, La Muralla.

— (1992), *La escoba sabia. 5. El jardinero,* Madrid, La Muralla.

— (1992), *La escoba sabia. 6. El pescador,* Madrid, La Muralla.

— (1992), *La escoba sabia. 7. El bombero,* Madrid, La Muralla.

— (1992), *La escoba sabia. 8. El cartero,* Madrid, La Muralla.

— (1994), *La escoba sabia. 9. El campo,* Madrid, La Muralla.

— (1994), *La escoba sabia. 10. La ciudad,* Madrid, La Muralla.

— (1990), *El camino magnético. Cuentos infantiles. 1. Blancanieves y los siete enanitos,* Madrid, La Muralla.

— (1990), *El camino magnético. Cuentos infantiles. 2. Hansel y Gretel,* Madrid, La Muralla.

— (1990), *El camino magnético. Cuentos infantiles. 3. La bella durmiente,* Madrid, La Muralla.

— (1990), *El camino magnético. Cuentos infantiles. 4. El enano saltarín,* Madrid, La Muralla.

— (1990), *El camino magnético. Cuentos infantiles. 5. La bella y la bestia,* Madrid, La Muralla.

— (1990), *El camino magnético. Cuentos infantiles. 6. Caperucita Roja,* Madrid, La Muralla.

— (1990), *El camino magnético. Cuentos infantiles. 7. Ricitos de oro y los tres ositos,* Madrid, La Muralla.

2. Algunos estudios [2]

ARMADA, I. (1996), «Juegos», *Frecuencia ELE 3:* 18-20.

BELLO ESTÉVEZ, P. (1990), «Los juegos: planteamientos y clasificaciones», en *Didáctica de las lenguas segundas. Estrategias y recursos prácticos,* Madrid, Santillana: 136-157.

CANTERO SERENA, F. J.; MENDOZA FILLOLA, A., y SANAHUJA YLL, E. (1994), «El karaoke: un instrumento globalizador para la enseñanza de lenguas», en J. SÁNCHEZ LOBATO e I. SANTOS GARGALLO (Eds.), *Actas del IV Congreso Internacional de ASELE. Problemas y métodos en la enseñanza del español como lengua extranjera,* Madrid, SGEL: 523-533.

CHAMORRO GUERRERO, M. D., y PRATS FONTS, N. (1994), «La aplicación de los juegos a la enseñanza del español como lengua extranjera», en S. MONTESA PEYDRÓ y A. GARRIDO MORAGA (Eds.): *Actas del II Congreso Nacional de ASELE. Español como lengua extranjera: didáctica e investigación,* Málaga: 235-246.

DÍAZ, C. (1992), «Gramática con anuncios», *Cable 10:* 23-25.

DORREGO, L. (1991), «Técnicas dramáticas para la enseñanza del español», *III Jornadas internacionales de didáctica del español como lengua extranjera,* Madrid, Ministerio de Cultura, Dirección General de Cooperación Cultural, Servicio de Difusión de la Lengua: 31-42.

EQUIPO NUMEN (1996), «Se puede-No se puede», *Frecuencia ELE 1.*

— (1996), «Dominó de preposiciones», *Frecuencia ELE 2.*

— (1996), «Casa de vecinos», *Frecuencia ELE 3.*

ERENA MÁRMOL, F., y COBOS RUZ, F. (1993), «Técnicas de animación sociocultural y dinámica de grupos: aplicación en el aula de E/LE», en S. MONTESA PEYDRÓ y A. GARRIDO MORAGA (Eds.): *Actas del III Congreso Nacional de ASELE. El español como lengua extranjera,* Málaga: 241-246.

FELIU VILASECA, G. (1988), «Doble uso del documento real», *Cable 1:* 9-11.

FERNÁNDEZ LÓPEZ, S. (1988), «El desarrollo de la función lúdica en el aula», *II Jornadas internacionales de didáctica del español como lengua extranjera,* Madrid, Ministerio de Cultura, Dirección General de Cooperación Cultural, Servicio de Difusión de la Lengua: 19-40.

— (1989), «El juego de la gramática o "zapatos a la carta"», *Cable 3:* 8-10.

— (1991), «Para la clase. Palabras que "saltan a los oídos"», *Cable 8:* 36-39.

— (1992), «Para la clase. Estrategias lúdicas para la corrección fonética», *Cable 10:* 35-37.

— (1994), «Crear y recrearse con la lengua en el aprendizaje de un idioma», L. MIQUEL y N. SANS (Coors.): *Didáctica del español como lengua extranjera 2,* Madrid, Colección Expolingua, Fundación Actilibre: 23-40.

FERNÁNDEZ LÓPEZ, M.ª C. (1996), «Materiales lúdicos en el aula de E/LE», *Cuadernos Cervantes de la lengua española, 7:* 28-32.

GARCÍA GONZÁLEZ, J., y CORONADO, M.ª L. (1990), «De cómo usar canciones en el aula», en R. FENTE, A. MARTÍNEZ GONZÁLEZ y J. A. MOLINA REDONDO (Eds.): *Actas del I Congreso Nacional de ASELE,* Granada: 119-128.

GARCÍA OLIVA, C. (1996), *Juegos en el aula,* Memoria de Máster, Madrid, Universidad de Alcalá.

HERNÁNDEZ BLASCO, M.ª J. (1988), «La gramática al alcance de la mano: un ejemplo», *Cable 1:* 8-9.

— (1989), «Correo interno. Una propuesta para el trabajo de la escritura en grupo», *Cable 4:* 3-5.

---

[2] Esta selección forma parte de un trabajo más amplio que se publicará próximamente: *Bibliografía en lingüística aplicada a la enseñanza-aprendizaje del español como lengua extranjera (1983-1996). Fuentes documentales. Publicaciones periódicas españolas,* realizado por un equipo de investigación de la Universidad Complutense integrado por I. Santos Gargallo, I. Bermejo Rubio, N. Derouiche, C. García Oliva, M. Higueras y C. Varela Méndez.

HERNÁNDEZ GUIU, M. (1991), «Mensajes de un contestador automático (Material auténtico base para el diseño y graduación de tareas en el aula de E/LE)», *Cable 8:* 27-35.

HERNÁNDEZ, M.ª J., y PUIG, F. (1988), «Olimpiada cultural: ahí está», *Cable 2:* 10-17.

MARTOS COLLADO, M.ª R. (1990), «Los materiales auxiliares: el "armario de recursos"», en *Didáctica de las lenguas segundas. Estrategias y recursos prácticos,* Madrid, Santillana: 124-136.

MATA BARREIRO, C. (1990), «Las canciones como refuerzo de las cuatro destrezas» en *Didáctica de las lenguas segundas. Estrategias y recursos prácticos,* Madrid, Santillana: 158-171.

MAZO BERRADE, H. (1988), «Jugar al parchís», *Cable 2:* 3-5.

MEJÍA, C.; RIBERA, J., y SANTOS GARGALLO, I. (1990), «Actividades comunicativas: el ludismo no es algo marginal», en R. FENTE, A. MARTÍNEZ GONZÁLEZ y J.A. MOLINA REDONDO (Eds.), *Actas del I Congreso Nacional de ASELE,* Granada: 277-287.

MELERO ABADÍA, P. (1996), «¡A empujar!», *Frecuencia ELE 1:* 28-29.

MONTERO MÓRTOLA, C. (1990), «Varios años con Mafalda», *Cable 6:* 3-8.

MONTERO, C. (1992), «En aquel '92 no todos los caminos llevaron a Roma (I)», *Cable 9:* 33-35.

— (1992), «En aquel '92 no todos los caminos llevaron a Roma (II)», *Cable 10:* 26-29.

— (1996), «Actividades lúdicas en la enseñanza del español», *Frecuencia ELE 3:* 28-35.

NAUTA, J. P. (1989), «Formas de escuchar. Canciones de Sting y Serrat en clase», *Cable 3:* 5-7.

NAUTA, J. P. (1989), «Un egipcio en la Costa del Sol. La interacción estratégica en la formación de profesores de español», *Cable 4:* 6-13.

ROLDÁN, M. (1990), «Plaza de la Luna Llena, 13. Una experiencia de simulación global en español lengua extranjera», *Cable 5:* 46-49.

ROLDÁN, M., y VÁZQUEZ, M.ª V. (1990), «Crímenes imaginarios», *Cable 6:* 9-11.

SOPENA BALORDI, A. (1986), «Los juegos lingüísticos en el aula de idiomas: actividad lúdica productora de mensajes», en F. FERNÁNDEZ (Ed.): *Actas del III Congreso Nacional de Lingüística Aplicada. Pasado, presente y futuro de la lingüística aplicada en España,*Valencia, Servicio de Publicaciones de la Universidad de Valencia: 233-242.

VV.AA. (1995), *Juegos para la clase de español,* Londres, Embajada de España, Consejería de Educación.

Reseñas

Teresa González Sainz (1994), *Para jugar*, Madrid, SM, 112 págs. ISBN: 84-348-4503-2.

Para jugar forma parte de la colección **Destrezas**, cuyo modelo de aprendizaje se basa en el desarrollo específico de los aspectos comunicativos de la lengua: escuchar, hablar, escribir y leer.

El objetivo principal de este libro consiste en ofrecer una serie de actividades que permiten el desarrollo e integración de las cuatro destrezas lingüísticas, a través del carácter lúdico e interactivo de la práctica comunicativa.

Para jugar propone un total de 43 actividades lúdicas ordenadas, de forma progresiva, en función de los diferentes niveles de los estudiantes: elemental, intermedio y avanzado.

La presentación de dichas actividades se realiza en cuatro bloques, que van desde una práctica más controlada por parte del profesor, a un mayor grado de responsabilidad en la realización de la tarea, por parte del estudiante:

— Bloque 1: Actividades controladas, de niveles elemental e intermedio.
— Bloques 2 y 3: Actividades más libres, de niveles intermedio y avanzado.
— Bloque 4: Juegos de números y palabras, para los tres niveles.

La amplia tipología de ejercicios que ofrece este libro abarca desde el popular *Veo, veo* y los crucigramas, hasta aquellos otros que recurren al *vacío de información* como principio ·organizador de la actividad.

Las mayores ventajas de *Para jugar* radican en su facilidad de manejo para el profesor, ya que se trata de un libro creado para su uso y no para el de los estudiantes. El profesor puede elegir la actividad que desee realizar en el aula, según cuatro tipos de objetivos: comunicativos, gramaticales, léxicos y de organización del grupo —parejas o grupos—. Dichos objetivos aparecen organizados en índices al comienzo del libro, por lo que la identificación de cualquiera de ellos resulta rápida e inequívoca. Se salvan así dos de las mayores dificultades a la hora de seleccionar material complementario para el aula.

Además, en cada una de las actividades, el profesor tiene la oportunidad de consultar los objetivos, destrezas, nivel, organización, duración, vocabulario, exponentes lingüísticos, procedimientos y sugerencias alternativas de explotación. Todas estas informaciones resultan indispensables para introducir el material en el aula de la forma más adecuada y en el momento más favorable del proceso de enseñanza-aprendizaje.

Este libro constituye un material complementario de fácil manejo, con el que se consiguen buenos resultados en clase. Las actividades resultan amenas para el estudiante y cómodas de preparar para el profesor. Por otra parte, el tipo de organización de los materiales para distribuir a los alumnos, en forma de fichas y láminas preparadas en el mismo libro, consigue preservar los derechos de autor y evita el uso indiscriminado de fotocopias en el aula. Por todo ello, consideramos que *Para jugar* es un material necesario en la biblioteca de todo profesor de E/LE.

RAQUEL PINILLA GÓMEZ
Universidad Complutense de Madrid

VV.AA. (1995), *Juegos para la clase de Español,* Londres, Embajada de España, Consejería de Educación, 76 págs. ISBN: 09523789-2-2.

Juegos para la clase de Español es el título del último libro editado por la Conserjería de Educación de la Embajada de España en el Reino Unido. Esta obra es una recopilación de actividades lúdicas, independientes entre sí, elaboradas y experimentadas en la clase de español como lengua extranjera (E/LE) por auxiliares de conversación en el Reino Unido durante el período 1991-94. Posteriormente, fueron adaptadas para su publicación por los expertos de la Consejería de Educación de la Embajada de España en Londres. La muestra de juegos aquí recogida surgió como respuesta a la necesidad de desarrollar las destrezas orales en estudiantes de secundaria en el Reino Unido, donde el español es la segunda lengua extranjera elegida por los alumnos, después del francés.

La recopilación de *Juegos para la clase de Español,* tal y como se indica en el prólogo, se fundamenta en la aplicación del enfoque comunicativo en el aula de E/LE, que considera el juego como una actividad lúdica especialmente motivadora para el alumno, ya que, por un lado, refuerza y acelera el proceso de aprendizaje y, por otro, estimula la comunicación y la interacción en la clase.

Aparte del prólogo y el índice de los juegos, *Juegos para la clase de Español* se divide en dos bloques claramente diferenciados:

En la primera parte (págs. 2-16) encontramos el material dirigido expresamente al profesor; a saber, 28 fichas descriptivas de las actividades lúdicas que propone el libro, en las que se da información sobre las reglas del juego, el procedimiento a seguir, el número de personas que intervienen y el material complementario que aparece en la segunda parte.

Con la selección de actividades propuestas se pretende la consecución de diversos objetivos lingüísticos. Encontramos juegos en los que se práctica el léxico, como la actividad núm. 7: *¿En qué habitación?*, la núm. 12: *¿Qué llevamos a la fiesta?*, o la núm. 22: *La Gran Familia*; la gramática, como el juego núm. 5: *¿Dónde está la Paloma?*, el núm. 6: *¿De quién es?*, o el núm. 10: *Compras*; la entonación y la pronunciación, como en el ejercicio núm. 14: *No hay humor,* y el núm. 24: *Trabalenguas*. También encontramos adivinanzas o juegos de palabras, como el núm. 15: *Respuestas Lógicas*; algunas actividades están creadas, claramente, para anglófonos, como el núm. 19: *La vuelta al Mundo en 40 minutos*. Otras tienen como objetivo la familiarización del alumno con la realidad sociocultural hispánica, como la actividad núm. 20: *Camino de Santiago*, la núm. 21: *De Madrid a Buenos Aires,* o la núm. 28: *Crucigrama sobre Colombia*.

En la segunda parte del libro (págs. 18-76) se presenta el material de juego propiamente dicho, que el profesor entregará a los alumnos y con el que se trabajará en clase. A cada ficha técnica, presentada en el primer bloque, le corresponde un material determinado en la segunda parte, que puede ser desde tarjetas con viñetas, dibujos, letras, vocabulario, hasta mapas, tableros de juego, etcétera. Finalmente, se incluye un apéndice con las soluciones de algunas de las actividades propuestas.

Todo este material se presenta en blanco y negro y en un tamaño adecuado para facilitar su manipulación por parte del profesor.

En nuestra opinión, las fichas didácticas del profesor presentan pequeñas carencias, tales como la falta de objetivos gramaticales que se persiguen en cada una de las actividades, la temporalización real del juego o el nivel para el que se recomienda, si bien es cierto que se aprecia una mayor complejidad a medida que avanzamos en las actividades. Creemos que la inclusión de esta información facilitaría notablemente el trabajo del profesor, que tiene que ser el que, teniendo en cuenta su programa, sus objetivos y sus necesidades didácticas, adapte las actividades con el fin de conseguir un mejor aprovechamiento y un mayor rendimiento en el proceso de aprendizaje del alumno. En cualquier caso, consideramos que *Juegos para la clase de español* no sólo supone un interesante material de refuerzo en la clase de E/LE, sino también una fuente de ideas, tanto para el profesor como para el alumno, capaz de motivar la participación y la creatividad en clase, convirtiendo al alumno en protagonista de su propio aprendizaje.

GEMA DELICADO MARTÍNEZ
*Máster en formación de especialistas
en la enseñanza de E/LE
Universidad Complutense de Madrid*

Ramón Palencia (1990), *Te toca a ti*, Madrid, Ministerio de Cultura, 184 págs. + 9 tableros. ISBN: 84-7483-646-8.

Parece obvio considerar que en el ámbito del *español* como lengua extranjera (E/LE) el apartado de la adquisición de estructuras gramaticales y de vocabulario es importante; no obstante, la instrucción docente presentará carencias si muestra incapacidad o nula oferta de actuaciones en torno al uso *social* del idioma. La simple idea de que el lenguaje es, ante todo, *co-municación* ha hecho demandar, pues, nuevas pautas de docencia y, así, hay una alta y continua oferta editorial ya en un nivel de fundamentación metodológica —W. Littlewood (1996): *La enseñanza comunicativa de idiomas*, Cambridge, Cambridge University Press, un ejemplo—, ya en un plano de aplicación —F. Matte Bon (1992): *Gramática comunicativa del español*, Madrid, Difusión, otro testimonio—. *Te toca a ti*, libro del *Servicio de Difusión del Español* (Ministerio de Cultura), se presenta entonces, en este marco, también como pieza a tener muy en cuenta.

Nace esta obra con el fin de alcanzar dos objetivos principales: por una parte, conseguir que el alumnado de E/LE logre con el *español* un auténtico intercambio comunicativo, y, por otra, mostrar una realidad hispana. El trabajo se sitúa, de esta forma, en la línea de propósitos (1 y 3, en especial) que aparecerán defendidos como columna vertebradora del Plan Curricular del Instituto Cervantes.

El volumen que llega a las manos del interesado es, en realidad, un conjunto de 50 juegos para hacer operativa la lengua española y la cultura hispana en un nivel oral (práctica de funciones, uso de elementos extralingüísticos...), sobre todo. No es, por lo tanto, un manual del profesor. Atendiendo a las peculiaridades de los ejercicios, podemos clasificarlos en varios grupos: Juegos con ilustración (en blanco y negro, para reproducir fácilmente conforme a las actividades) (1-13), juegos de adivinanza (14-18), juegos de mesa (19-30), juegos variados (31-50). Cada uno se presenta con su nombre, señalando objetivos, destrezas (*comprensión oral*, en 44 juegos; *expresión oral*, en 43 juegos; *lectura*, en 11 juegos; *escritura*, en 1 juego; págs. 173-180), nivel, organización (toda la clase, equipos, pequeños grupos —3/5 participantes—, parejas, parejas alternantes, individual), tiempo, material, procedimiento, observaciones. El libro se cierra con una tabla de los juegos, donde aparecen, recogidas de nuevo, sus respectivas peculiaridades, pero igualmente diversas funciones que el alumnado ejecuta con cada actividad. Esta incorporación viene a responder al objetivo de subrayar el aludido contexto social (y, por tanto, cultural) en las aulas. El autor invita de esta manera a aprovechar sus recursos como elementos verdaderamente útiles en la práctica comunicativa y a integrarlos con valor destacable en cualquier programación de E/LE; y todo porque el *esfuerzo del aprendizaje* no ha de ser incompatible con el *componente lúdico*. No es extraño que tal proceder haya abierto puertas a textos que han aparecido posteriormente (mírese M.ª del Carmen Fernández López —1996—: «Materiales lúdicos en el aula E/LE», *Cuadernos Cervantes de la Lengua Española*, 7, págs. 28-32).

El libro está bellamente maquetado. Y como un auténtico juego, aparece protegido en un estuche duro que encierra a su vez nueve tableros en color para varias actividades. Esta presentación ha tenido su éxito, pues parece haber calado en siguientes trabajos, si atendemos a los tableros de juegos con que se acompaña la revista *Frecuencia E/LE* (1996).

En resumen, estamos ante un volumen atractivo no sólo por su aspecto físico, sino por el material que encierra; una propuesta para enseñar divirtiéndose. Una obra, por consiguiente, a destacar, como ha hecho el Instituto Cervantes al incluirla en su reciente bibliografía de trabajos vinculados al mundo de E/LE (I. Visedo Orden e I. Santos Gargallo —1996—: *Catálogo de materiales para la enseñanza del español como lengua extranjera*, Alcalá de Henares, Instituto Cervantes, pág. 58, n. 400).

PEDRO TENA TENA
Universidad Complutense de Madrid

C. Arnal y **A. Ruiz de Garibay** (1996), *Escribe en Español,* Colección *Español por destrezas*, Madrid, Sociedad General Española de Librería, S.A., 95 págs. ISBN: 84-7143-581-0.

Escribe en Español es el primer título de una colección para el aula de E/LE titulada *Español por destrezas,* que incluye otros tres libros, aún por aparecer: *Habla en español, Escucha en español y Lee en español*. Dicha colección, tal como nos indican sus autoras en una original carta-prólogo, se puede utilizar como material de apoyo en el aula, como método modular por destrezas o como material para alumnos autodidactas. El objetivo fundamental del título que nos ocupa es el desarrollo de la expresión escrita en estudiantes extranjeros con unos conocimientos básicos de español (aproximadamente 60 u 80 horas de clase). Se trata de conseguir que el alumno llegue a desenvolverse con cierta soltura en la producción de aquellos textos escritos más frecuentes en nuestra vida cotidiana, proporcionándole para ello las herramientas lingüísticas necesarias.

Con este fin, cada unidad didáctica de *Escribe en español* presenta muestras reales de un tipo de texto escrito (impresos —unidad 1—; notas y mensajes —unidad 5—; postales —unidad 9—; cartas de felicitación —unidad 11—, etc.) y propone al alumno la realización de tareas de expresión escrita sobre dicho modelo, proporcionándole para ello los contenidos gramaticales, el vocabulario específico y las funciones lingüísticas necesarias. Así, junto con las actividades de expresión escrita propiamente dichas (ya sean prácticas controladas, semi-controladas o libres), encontremos ejercicios para el aprendizaje o la práctica de estructuras gramaticales, funcionales y vocabulario, tales como textos con huecos, juegos de léxico, pasatiempos, etcétera.

Pero quizá la característica más destacable de *Escribe en Español* consista en que la enseñanza de la expresión escrita se lleva a cabo a partir de la integración de dos, tres, o incluso de las cuatro destrezas lingüísticas, tal como, por otro lado, exige la realidad de la comunicación diaria. Así, a lo largo del libro, el alumno deberá recurrir, por ejemplo, a la comprensión lectora o a la expresión oral para llevar a buen término algunas actividades de expresión escrita semi-controlada. Con esta integración de destrezas, las autoras pretenden acercarse con la mayor naturalidad y autenticidad posibles al lenguaje de la comunicación real.

Escribe en Español se estructura en trece unidades, cada una de ellas organizada alrededor de un área temática: Identificación personal (unidad 1), Identificación de objetos (2), Vivienda (3), Alimentación (4), La ciudad (5), Transporte (6), etcétera. Cada unidad consta de los siguientes apartados o secciones:

1. *Poniendo a punto*:

En este bloque se presentan diversos modelos de textos reales y ejercicios variados, que permiten asimilar estructuras gramaticales y vocabulario especializado.

2. *Rodaje*:

En esta sección se realizan actividades guiadas para practicar la escritura utilizando los contenidos gramaticales y léxicos presentados en la sección anterior.

3. *En marcha*:

Finalmente, en esta sección se presentan actividades de consolidación para la práctica libre de la escritura.

La disposición de textos, la tipografía y los dibujos son muy atractivos y potencian la participación de los alumnos. Al final del libro encontramos la llamada *página del alumno*, con la solución a dos de las actividades del libro (unidades 2 y 7), y un solucionario y notas para el profesor.

A nuestro modo de ver, *Escribe en Español* es una interesante y enriquecedora aportación al panorama de la enseñanza de español a extranjeros. Además, incide en una línea de materiales didácticos —los ejercicios por destrezas— que son muy utilizados en la enseñanza de otras lenguas extranjeras, sobre todo del inglés, pero que en E/LE son casi desconocidos, a pesar de su gran utilidad para la clase. Por añadidura, el desarrollo y estructura de este li-

bro y, especialmente, la manera con la que logra integrar las destrezas lingüísticas y los contenidos gramaticales y léxicos para la producción de diferentes tipos de escritos, da lugar a un manual muy completo, ameno e innovador, que proporciona al alumno las mejores herramientas para aprender a escribir por sí solo.

ISABEL ALONSO BELMONTE
Universidad Complutense de Madrid

Coronado González, María Luisa y otros (1996), *Materia Prima. Gramática y ejercicios: nivel medio y superior*, Madrid, Sociedad General Española de Librería, S.A., 288 págs. ISBN: 84-7143-500-4.

Nos hallamos ante un nuevo trabajo de los autores del excelente Curso de Lengua y Civilización titulado *A fondo*, publicado hace dos años en esta misma editorial. El libro del que nos ocupamos ahora va dirigido a estudiantes de nivel intermedio y superior y pretende ser, en cierto modo, un complemento de aquél. De hecho, en las páginas introductorias se ofrece un índice de correspondencias para un mejor aprovechamiento de ambos métodos. Cada uno de los 38 temas de que consta se halla dividido en tres secciones. La primera, que se llama *¿Cuánto sabes?*, es una breve aproximación al contenido de cada tema. La segunda, denominada *A saber*, desarrolla los contenidos gramaticales de forma pormenorizada. La tercera, la sección práctica del libro, nos ofrece una amplia y variada serie de ejercicios y actividades. Hay además un apéndice de conjugación verbal y un pequeño glosario de términos gramaticales.

En la presentación de los temas se han tenido en cuenta varios criterios. Así, encontramos algunos que se establecen tomando como base aspectos sintácticos (*la colocación del adjetivo*); en otros se adopta, en cambio, una concepción pragmática (*la expresión del mandato y la petición*) o bien morfológica (*el género*). Llamamos la atención sobre dos ausencias significativas: un tema específico para el adverbio o un epígrafe donde se trate con detalle el contraste *canté/cantaba*.

El material que se utiliza en la sección primera de cada tema es un anuncio publicitario. Con ello se persigue incitar al alumno a que reflexione sobre algún aspecto gramatical que vendrá desarrollado después en cada tema. En la sección gramatical se presentan las reglas y estructuras del español, sin descuidar los usos pragmáticos o estilísticos. En los esquemas y en las explicaciones se observa la búsqueda de un equilibrio entre el rigor conceptual —necesario en un método avanzado— y la claridad expositiva —deseable en todo manual destinado a alumnos extranjeros—. Esta difícil tarea no siempre se va a lograr, en parte por la misma organización del índice temático: demasiado largo y con una concepción más lineal que estructural, es decir, dispuesto como una mera yuxtaposición de temas. Esto ocasiona excesivos solapamientos y complica a veces innecesariamente el estudio de los aspectos tratados. Este problema tal vez se habría resuelto añadiendo un índice más detallado que facilitase la consulta de los epígrafes de cada tema. De gran valor pedagógico hubiera sido también la utilización en la sección gramatical de dos tipos o cuerpos de letra para destacar los aspectos más generales de aquellos otros más esporádicos o marginales.

La sección de ejercicios —a nuestro entender, lo mejor del libro— viene representada por una gran variedad de actividades, graduadas según el nivel de dificultad y basadas en su mayoría en documentos periodísticos, publicitarios, encuestas, fragmentos de obras de teatro, etcétera, todo lo cual permite al alumno aprender de un modo ameno y en situaciones de uso lingüístico más *realista*, y ello sin desatender la información cultural.

En conclusión, se trata de un buen manual práctico de español para extranjeros, que reúne un material útil y de gran valor para las clases, el cual además viene acompañado de un exhaustivo aparato gramatical. Es elogiable el esfuerzo de los autores por su labor de síntesis en algo tan difícil como es la sistematización de la gramática de una lengua.

Luis Flamenco García
Universidad Complutense de Madrid

J. Siles Artés y **J. Sánchez Maza** (1996), *Curso de lectura, conversación y redacción. Nivel intermedio,* Madrid, SGEL, 244 págs. ISBN: 84-7143-582-9.

Esta nueva publicación de la Sociedad General Española de Librería propone —como reza el título— un *Curso de lectura, conversación y redacción* destinado a estudiantes de nivel medio que deseen enriquecer sus conocimientos del español, y a aquellos estudiantes de nivel superior que quieran dar un repaso a los suyos.

Los autores se mantienen fieles a una orientación metodológica de corte tradicional, en la que impera el aprendizaje de los elementos léxicos y de las estructuras gramaticales de la lengua en contextos culturalmente relevantes.

El eje vertebrador de la obra es una cuidada selección de textos de autores contemporáneos representativos de la lengua y cultura hispánicas. El libro está estructurado en veintiocho unidades, cada una de las cuales se desarrolla en torno a un texto. Sirvan los siguientes a modo de ejemplo: *El hombre que compró un automóvil,* de W. Fernández Flórez; *Escenas de cine mudo,* de J. Llamazares; *Nada,* de C. Laforet; *Entre visillos,* de C. Martín Gaite; *Los soldados lloran de noche,* de A. M.ª Matute; *Industrias y andanzas de Alfahui,* de R. Sánchez Ferlosio; así como un conjunto de textos divulgativos de variada temática: deporte, medicina, aficiones, ciencia, economía, etcétera.

En cada unidad el hilo conductor es el

texto, el texto como unidad integradora y vínculo entre la lengua y la cultura, que permite la práctica integral de las cuatro destrezas lingüísticas. La explotación del texto sigue las siguientes pautas:

— *Resumen biográfico*: breve reseña biográfica con los datos más relevantes del autor.
— *Entrando en situación:* los autores plantean una pregunta sobre el tema que va a tratar el texto, de manera que la lectura se contextualice.
— *Lectura del texto.*
— *Preguntas de comprensión lectora.*
— *Ejercicios:* numerosos ejercicios relativos al léxico y a las estructuras gramaticales del texto.
— *Conversación*: sugerencias para la práctica libre de la expresión oral en el aula.

— *Redacción:* sugerencias para la práctica de la expresión escrita.

El orden marcado por los autores en la secuenciación de las unidades no es obstáculo para que el profesor establezca el suyo propio, de acuerdo con el nivel y las necesidades específicas de un determinado grupo de alumnos.

Además, las referencias numéricas que se establecen entre el texto y los ejercicios permiten que el estudiante pueda utilizar este libro de forma autodidacta.

El *Curso de lectura, conversación y redacción,* de los profesores J. Siles Artés y J. Sánchez Maza garantiza un aprendizaje ordenado y gradual de la lengua y la cultura.

ISABEL SANTOS GARGALLO
Universidad Complutense de Madrid

164

El rincón de la cultura
—Lengua y Cultura—

JESÚS SÁNCHEZ LOBATO
Universidad Complutense de Madrid

No hace demasiados años, la enseñanza de la lengua se enfocaba *desde, para* y *por* la lingüística, parcela de la ciencia que primaron las diferentes corrientes estructuralistas y funcionalistas. La enseñanza de la lengua se convirtió, en ocasiones, en un verdadero algoritmo de sí misma. Era, como cabía esperar, la reacción metodológica a los planteamientos didácticos anteriores, en los que la enseñanza de la lengua era la excusa para extenderse prioritariamente por campos como la literatura, la historia, los comportamientos sociales, artísticos, etcétera. Como nos ha enseñado la historia, cada período cultural ha reaccionado frente al inmediatamente anterior. La enseñanza de idiomas no ha sido una excepción, como es de todos sabido, por lo que, hoy en día, podemos valorar con perspectiva histórica las diferentes corrientes metodológicas que se han aplicado en dicho campo.

En nuestros días, y pese a dichos avatares de la historia, nos queda claro que lengua y cultura son dos conceptos interconexionados que marchan al unísono. Si aprendemos una cultura es porque *algo* de ella nos interesa, a saber, su geografía, arte, cultura en general, etc., además de la necesidad de comunicarnos que tengamos en ella (puesto que el acto de comunicación es esencial). Pero la comunicación no es un concepto abstracto, sino que responde a un mecanismo tan elemental en el habla como el de preguntar-responder, lo que supone siempre el intercambio de información. La comunicación no puede producirse en el vacío, ni en un medio abstracto, sino en un entorno social determinado, y sobre un contenido temático culturalmente apropiado.

En la actualidad, los profesores dedicados a la enseñanza del español valoran la lengua española como vehículo de comunicación, tanto desde la perspectiva lingüística como cultural. La integración de la cultura en la enseñanza de la lengua proporciona de manera espontánea y natural muchos elementos enriquecedores: motivación, autenticidad, contextos reales, información léxica y temática. Pero, además, en el caso de la cultura española, conduce a una valoración positiva del pluralismo y la tolerancia entre los pueblos, pues la cultura hispana explicitada en lengua española es claramente plurinacional. Hoy nadie pone en duda que la enseñanza de la lengua española, como lengua extranjera, pueda llevarse a efecto sumariamente sin el necesario complemento de su pluriculturidad. Concepto claramente perceptible en su dominio geográfico y en su diversidad histórica, cultural y política.

La interacción entre lengua y cultura nos ha parecido uno de los hechos fundamentales que deben preocupar al profesor de E/LE. Por ello, aflorará en múltiples ocasiones, a lo largo de sucesivas colaboraciones. Además, será sin duda objeto de algún número monográfico. En esta sección prestaremos una atención especial a aquellos acontecimientos del mundo de la cultura que tengan una significación destacada en el contexto didáctico del E/LE.

¡A divertirse!

CONCHA MORENO
Universidad de Málaga

Quisiera abrir esta sección recordando a mis «viejos» alumnos con una adivinanza que he repetido a lo largo de mis muchos años de profesora, con la que nos hemos reído en clase y por la cual querían «asesinarme».

I.   La historia de los gusanitos.

Estaban mamá-gusana, papá-gusano y el hijo-gusanito al borde de una autopista, porque querían cruzarla. Hicieron muchos intentos, pero había demasiado tráfico y resultaba muy peligroso. Al cabo de varias horas, consiguieron llegar al otro lado. Cuando ya se sintió a salvo, el hijo-gusanito miró aliviado hacia la autopista y exclamó: *¡Por fin hemos cruzado los cinco!*

¿Por qué dijo eso el hijo-gusanito?

II.   Acróstico viajero.

1. Ciudad mexicana famosa por sus *clavados*. __ ☐ ☐ __ __ __ __ __
2. Capital de un país sudamericano.   __ __ ☐ ☐ __ __ __
3. Mar en que está situada Cuba.   __ __ __ __ ☐ ☐
4. País de Centroamérica que conserva ruinas
   de la cultura maya.   __ __ __ __ __ __ __ ☐ ☐

Con las soluciones también encontrarás el nombre del tipo de barco con el que Colón viajó a América.

¿Podrías hacer una frase incluyendo todas las palabras?

III. Adivinanza ecolingüística.

Soy la redondez del mundo, sin mí no puede haber sol, tierra y agua sí, pero cielo y fuego no. ¿Quién soy?

IV. Las apariencias engañan o la importancia de una coma (,).

La frase que te damos a continuación parece no tener sentido; sin embargo, si colocas la coma (,) en el lugar apropiado, comprenderás que es peligroso fiarse de la primera impresión:

Un cazador tenía un perro y la madre del cazador era también la madre del perro.

V. Palabras curiosas.

Buscamos dos palabras. Aquí van unas pistas para que podáis encontrarlas sin usar el diccionario.

1.ª Es un sustantivo que incluye las cinco vocales.
Es un animal que vuela pero no es pájaro.
Nunca se choca con nada, aunque es ciego.

2.ª Es un verbo *capicúa*, es decir, que se puede leer de derecha a izquierda o de izquierda a derecha, por lo tanto empieza y termina por **R**.
Las letras que lo componen son:
la inicial del nombre de esta revista,
la inicial del idioma que estás leyendo,
la inicial de los premios de cine que concede Hollywood,
la inicial de los premios que concede la Academia sueca cada año.

Lo hacen los perros con sus amos, incluso cuando no los han visto durante mucho tiempo.

Soluciones

I. La historia de los gusanitos.

No es una historia cruel, por lo tanto no ha sido un coche que ha cortado a un gusanito en dos. No es una historia de reproducción, por lo tanto no es que mamá-gusana haya tenido gusanitos por el camino.

¿Entonces?

Es que el hijo-gusanito era tan pequeño que no había ido a la escuela y no sabía contar.

II. Acróstico viajero.

1. Ciudad mexicana famosa por sus *clavados*.   A **CA** pul co
2. Capital de un país sudamericano.   Ca **RA** cas
3. Mar en que está situada Cuba.   Ca ri **BE**
4. País de Centroamérica que conserva ruinas de la cultura maya.   Gua te ma **LA**

III. Adivinanza ecolingüística.

La letra O.

IV. Las apariencias engañan o la importancia de una coma (,).

Un cazador tenía un perro y la madre, del cazador era también la madre del perro.

V. Palabras curiosas.

1.ª Murciélago.
2.ª Reconocer.

El español es noticia

Programa *Sócrates*

El denominado *Programa Sócrates* es un compendio de medidas legislativas comunitarias en el ámbito de la educación. Entró en vigor a mediados de 1995 y engloba programas que anteriormente eran independientes (*Erasmus, Lingua*), a la vez que desarrolla nuevos programas (*Comenius*: educación no universitaria; Educación de Adultos; etc.)

Los profesores de E/LE de la Unión Europea pueden conseguir financiación para participar en los cursos de formación y perfeccionamiento que se organizan en España solicitando una ayuda tipo acción B de *Lingua*.

Para obtener información adicional, los profesores deben dirigirse a la *Agencia Nacional Sócrates* de cada Estado miembro o a la oficina de asistencia técnica *Sócrates/Juventud*, teléfono + (32.2) 233.01.11, telefax: + (32.2) 233.01.50.

Igualmente, pueden participar en otro tipo de proyectos relacionados con la enseñanza de lenguas, la promoción del concepto de ciudadanía europea en las aulas, la educación multicultural, la de las personas desfavorecidas, la formación de los alumnos con necesidades educativas específicas, etcétera, a través de diversas acciones del *Programa Sócrates* (*Lingua* A y D, *Comenius* 2 y 3, etc.).

Conferencia *Las lenguas en la Europa de la diversidad*

Durante los días 15 y 16 de diciembre de 1995 tuvo lugar en Madrid la conferencia *Las lenguas en la Europa de la diversidad*, con motivo de la Presidencia Española de la Unión Europea. Estuvo patrocinada por la **Co-**

misión **Europea**, el **Instituto Cervantes** y el **Ministerio de Educación y Ciencia**, colaborando en su organización la **Fundación José Ortega y Gasset** y la **Universidad de Alcalá**. Participaron 142 expertos, procedentes de Europa, África del Norte y Oriente Medio.

Para solicitar las Actas de la conferencia, dirigirse al *Departamento de Programas de Apoyo* (Dirección Académica) del **Instituto Cervantes**, teléfono + (34.1) 885.61.26, telefax + (34.1) 883.50.10.

Programas de lenguas del Consejo de Europa

En el marco del proyecto *Aprendizaje de lenguas y ciudadanía europea*, están muy avanzados los trabajos para la difusión del informe *Marco europeo común de referencia para la enseñanza y el aprendizaje de lenguas*, de gran interés para los profesores de lenguas y expertos, ya que su objetivo es establecer niveles de conocimiento equivalentes entre las distintas lenguas, así como conciliar los diferentes enfoques metodológicos y sistemas de certificación.

En próximos números seguiremos informando sobre este tema.

Centro Virtual *Cervantes*

Con motivo de la reunión anual del **Patronato** del **Instituto Cervantes** (Institución creada por el Gobierno Español en 1991 para la difusión de la lengua española y la cultura hispánica en aquellos países en los que el español no es lengua oficial), su director anunció la próxima creación de un centro virtual en la red *Internet* que puedan consultar los hispanistas, profesores de E/LE y público en general.

Saludamos con entusiasmo dicha iniciativa y deseamos mucho éxito al Instituto Cervantes.

La revista **Carabela** puede adquirirse por suscripción directa con **SGEL,** a través de la tarjeta **VISA.** Para ello basta con recortar el cupón de la parte inferior de esta página y enviarlo por correo o fax (N.º 91 - 662 15 69).

Aparición: dos números anuales (FEBRERO y SEPTIEMBRE).
Precio: 2.000 ptas. (I.V.A. incluido) cada número.
Suscripción por un año: 4.000 ptas. (incluidos gastos de envío desde Madrid).

También es posible efectuar la suscripción o adquirir números sueltos (incluso atrasados a partir del n.º 41), solicitándolos a cualquier librero, distribuidor o representante de **SGEL.** Debe citarse siempre el ISBN de los números solicitados.

SUSCRIPCIÓN A **CARABELA** POR TARJETA **VISA**
Si desea usted efectuar su suscripción y pagar con su tarjeta de crédito VISA, rellene este cupón y envíelo a:
SGEL. Avda. Valdelaparra, 29. 28108 ALCOBENDAS (MADRID)

Apellidos: ....

Nombre: .... DNI o CIF: ....

Dirección: .... C. Postal: ....

Población: .... País: ....

Número de suscripciones: [   ]

Suscripción a: un año [   ]   dos años [   ]   tres años [   ]

Importe de su(s) suscripción(es): ....

Tarjeta n.º ....   FECHA Y FIRMA

Fecha de caducidad: ....

CARABELA

Remítanos el cupón de la parte inferior (por favor, no fotocopia), con sus datos y dirección, y entrará en el sorteo de

1 PREMIO

que incluye:

- Una suscripción gratuita de dos años a la revista **Carabela.**
- Un lote de libros por importe de 25.000 pesetas, a elegir del catálogo de **SGEL.**
- Un billete de avión desde cualquier punto del mundo a Madrid (ida y vuelta).
- Una beca para un curso de verano en una universidad madrileña.

Cupón concurso CARABELA Nº 41

Apellidos: ....

Nombre: ....

Dirección: ....

Teléfono: ....

FUNDACIÓN JOSÉ ORTEGA Y GASSET

PROGRAMAS PARA PROFESORES DE ESPAÑOL LENGUA EXTRANJERA

(Organizados en colaboración con el Ministerio de Educación y Cultura)

- **Seminario intensivo para profesores europeos.***
  (Toledo: 19 de marzo-2 de abril de 1997).
- **IV Curso de verano para profesores europeos.***
  (Madrid: 9-29 de julio de 1997).
- **Curso de verano para profesores nativos.***
  (Madrid: 9-29 de julio de 1997).
- **II Instituto de Educación Bilingüe y Enseñanza del Español.****
  (Madrid: 9-29 de julio de 1997).
- **IX Summer Program for US teachers of Spanish.*****
  (Madrid: 9-29 de julio de 1997).

INFORMACIÓN Y MATRÍCULA:

Fortuny, 53 - 28010 MADRID
Teléfono: + (34.1) 310 44 12 Fax: + (34.1) 308 40 07

PROGRAMA INTERNACIONAL DE LENGUA ESPAÑOLA, ESTUDIOS LATINOAMERICANOS Y EUROPEOS

(Organizados en colaboración con la Universidad de Minnesota)

- **XV Curso intensivo de verano.** (Toledo: 15 de junio-27 de julio de 1997).
- **XVI Curso de otoño.** (Toledo: 7 de septiembre-14 de diciembre de 1997).
- **XVI Año académico** (Toledo: 7 de septiembre de 1997-2 de mayo de 1998).

INFORMACIÓN Y MATRÍCULA:

Callejón de San Justo, s/n.   Teléfono: + (34.25) 21 29 08
45001 TOLEDO   Fax: + (34.25) 22 65 48

  * En colaboración con el Instituto Cervantes.
 ** Organizado con la Universidad de San Francisco con el patrocinio de la California Association for Bilingual Education (CABE).
*** Organizado con la Universidad de Minnesota.